講談社文庫

花芯

瀬戸内寂聴

講談社

目次

花芯

いろ

るいの顔は右半面ぬけるような色白で、左半面が醜い火傷のあとで掩《おお》われていた。銀二郎が十七の夏、るいの稽古所に通いはじめたころ、るいはすでに四十八歳になっていた。大正六年のことであった。

芝は烏森神社の近所、もとの備前町が改まった佐久間町の小さな借家で、るいは踊、長唄、常磐津《ときわず》、清元、義太夫など、いわゆるごもくの師匠をしていた。通いの洗濯女を使って身のまわりの世話をさせていた。るいが「婆さん、婆さん」と呼んでこき使うその女より、るいの方が年長の筈であった。誰も、るいの本当の年を知っているものはなかった。

「備前町のお師匠さん」という名で、いつのころからか、るいは烏森一帯の町家の人に親しまれていた。まだ人々は改正前の江戸時代の町名が口馴れている時であった。

生粋《きっすい》の江戸の女にしては色が抜けるように白く、上方の女のように骨細できゃしゃな体つきをしていた。

胴長のからだに帯をずり落ちそうにゆるくまきつけ、思いきり衿をぬいて裾を引きずるような着つけをしている。るいが浮世絵のデフォルメを真似て考案した独特のもので、誰にも真似られるものではなかった。顔の瑕《きず》を気にし、なるたけ人に目だたせまいとする気の配りから、るいの挙措動作には自然、柔らかなしながそなわっていた。からだを真直ぐのばしていることはなく、稽古をつける時でさえ、微妙に膝をくずし、薄墨のかな文字のような嫋々《じょうじょう》とした線にやわらげている。首はいつも美しい方を人の視線に向けようとし、細い顎をひきめに左へかすかにかしげる。一重の瞼が切れ長にややつり上り、薄い鼻筋が通っている面長な右の横顔は、冷たくとりすました美しさだ。けれども、身についたやさしげなからだ癖のせいで、うけ口の口もとに媚《こび》が滲む表情に見えた。

るいの家は細長い二階家で、壁一重の両隣の物音や煮物の匂いまで手にとるように伝わってくる。子供など屋根づたいに隣の二階に出入りするふうな、ごみっぽい陋巷《ろうこう》だった。開けっぴろげな下町風の隣近所のたたずまいの中で、るいの家だけが、いつも薄闇につつみこまれ、ほの暗さをたたえていた。なるたけ音が近所へもれないようにとの名目で、窓のほとんどがふさがれている。昼でも、るいの家に入ると、黄昏時《たそがれどき》のような錯覚を呼ぶ。一日中ほとんど陽のささない家の中は、しめっぽくひんやりと空気がよどみ、夏も肌冷たいくらいだった。

薄明の中に、るいの白い上にも更に白粉を塗りこめた顔が、ぼうっと毫光《ごうこう》を背負ってうかび上るのは、一種、鬼気のある妖《あや》しげな美しさであった。白い右頬に小さな明りとりの光があたる位置に、るいはいつも坐っていた。弟子は七十六歳の老隠居から、四歳の女の子まで、おおよそ三十人あまりが、出たり入ったりしていた。るいは、黄色い声で「宵は待ち」を歌う幼女にも、華紅の号で作るるいの自作のどいつを覚えたがる老人にも、同じ熱心さと親切さで対した。月謝がやすく、つけとどけの多少で稽古のえこひいきをしないというので、一本気の下町の人は、るいの人柄まで一途に信頼した。けれども、るいの弟子のほとんどは、何といっても十六、七から二十なかばまでの若い男たちの群れであった。そのころ、下町の若者の間では、江戸時代からの名残りで、芸事を習うのは公然の道楽とされていた。小唄の一節も唄えないでは、商いの人づきあいにもことかき、野暮だと軽蔑される。同時に、稽古場は、安直で恰好な彼等の社交機関でもあった。

るいが年齢不明の不思議な若さをたたえているとはいえ、もう決して若者の対象になる年齢でないのが、彼等よりもその家族に安心を与えるらしかった。そのくせ、るいの許《もと》に集まる若者たちは、自分の年齢にふさわしい娘弟子には目もくれず、るいの、包みこむようなねっとりとした魅力だけに惹かれていた。

田村町の銅壺屋《どうこや》の跡とりの銀二郎も、友だちに誘われて、るいのもとに弟子入りした。弟の鉄三郎が三つ、銀二郎が七つの年、盲腸を患《わずら》って早死した母親は、小町と呼ばれていたとかで、銀二郎は母親似の色白の美男だった。一徹者で職人かたぎの父の作平は後添《のちぞえ》をとらなかったので、銀二郎の中には、年上の美しい女に憧れる気持が幼い時から芽生えていたのだろう。店へ来る女客にまつわりついて後を追ったりするのを、作平は女々しいといって嫌った。

二人の息子が成長するにつれ、作平の愛は、実直な気質の弟の鉄三郎に偏していった。

「女の尻ばかり追いたがったり、役者の声色ばかり真似上手で、銀はろくな職人にならん」

という父の口癖は銀二郎の心にしみつき、根深いコンプレックスを植えつけていたが、作平はもちろん、銀二郎自身もそのことにあまり気づいていなかった。むしろ銀二郎には思春期に入って、もっと別な人知れぬ悩みがあった。天性の美貌を人々が口に上せるようになるにつれ、誰にも知らせたくない秘密の重みで心が真暗にかげっていく。下町の若者は早熟で、十四、五歳から女を知るものはざらにあった。銀二郎は蓮っぱ娘に付文されたり、妾や後家から色っぽく持ちかけられたりする機会が多いくせに、秘密の悩みのため、十七の年までまだ女の肌をしらなかった。

るいがわけしりりで、稽古日でない日には、花札をひきながら、どんな打ちわった色恋の相談事にも親身になってくれる、という仲間の噂は、銀二郎の心を何よりも捕えた。

銀二郎がはじめてるいの稽古所へいった時、日盛りの往来からいきなり薄暗い家の中に入ったので、いっとき目の焦点があわず、立ちすくんだ。二、三度目を閉じたり開いたりして、ようやく海底のようなほの暗さの中に馴れてきた視線に、いきなりるいの白い俤《おもかげ》が、ぼうっと花びらのように滲んできた。黄昏の中に消えいりそうに開いている、いくらか萎《な》えた芙蓉《ふよう》の花の俤が、一瞬、銀二郎の目の奥にしらじらとあらわれた。

るいの右の目がまっすぐ銀二郎に注がれていた。口は、目の前の娘の「黒髪」のさらえに、口三味線を合せている。片頬でにっと笑いかけ、その目は冷たく冴えていた。銀二郎はつれの男のかげになって万事ひかえめにかまえていた。大きなリボンを首すじにゆるがせ、「黒髪」の娘が帰っていくと、はじめて、るいはゆるく膝を銀二郎の方へむけ、目の奥から笑いかけてきた。なぜかその瞬間、銀二郎はぶるっとかすかな身震いがわいた。

るいのもとに通いはじめて三月ほどのち、銀二郎は、生れてはじめて洲崎《すざき》のあるうちに上った。痩せた頬骨の高い女があたった。目と目が離れすぎ、口もとの大きな女は、美しくはないが気のよさそうな女だった。なめられまいと馴れたふりをつとめる銀二郎の態度を、女は最初計るようにうかがっていた。蒼みをおびた銀二郎の白い顔が、緊張のため硬《こわ》ばっている。女は急に白粉の下の皺を気にしない、だらけた笑顔になった。

「あんた、はじめてなのね」

鶏のなくような笑い声を咽喉にきしませながら両袖を拡げてきた。銀二郎はまじろぎもしない目を開いて女の表情を見つめていた。女の手が自分に触れた瞬間、女のだらけた頬にかすかな痙攣《けいれん》が走ったのを、銀二郎は見のがさなかった。銀二郎のうちに満ちかけた力がすっとぬけでていった。

「珍しいのか」

銀二郎は必死に平気を装って聞いた。

「ざらにあるわ」

銀二郎は女の声の中に同情のひびきがあると感じた。女の目の方が銀二郎の目から逃げたがっているのが、女のうそを教えていると思った。それから三時間ばかりの後、銀二郎はるいの戸口に正体もないほど酔いどれてたどりついていた。

気がつくと見馴れぬ天井が低かった。頭がずきずき痛む。青い水底のような光があたりにこめていた。

「頭が痛いだろうねえ」

右の頬に甘い息がかかってやわらかな声がした。ぎょっと銀二郎は首をあげた。るいが大きな西洋枕に左の頬を埋め、冴え冴えした右の顔半分で笑っていた。脚にるいの骨細な脚がのっていた。るいの脚を意識すると下半身がしびれ、身動きも出来なくなった。目がなれると、そこがはじめてみるるいの二階だとうなずけた。六畳の細長い部屋に、古びてはいるが、昔のるいの栄華の名残りを思わせる楠《くす》の簞笥《たんす》や、螺鈿飾《らでんかざ》りの長持などが並んでいた。青い色に染めたほやのかかった華麗ならんぷがずっとむこうにともっていた。この部屋に電灯はひいてないらしい。

「何か云いましたか」

銀二郎は、中断された記憶を必死によびもどそうと、頭をかかえこんだ。

「こうしておくれってさ」

るいが包みこむような笑顔をみせ、白い蛾のように銀二郎に掩いかぶさってきた。るいは光琳風《こうりんふう》の秋草の縮緬浴衣《ちりめんゆかた》で素肌をつつみ、水色のしごきをしめている。銀二郎は目の中まで血が上るのを感じながら、二時間前のように必死に目を開いて、るいの表情を見おとすまいとした。るいの手が触れた時、るいの目の中に云いようもない和やかな光がみなぎるのを銀二郎はみとめた。るいが口を寄せ、短いことばを銀二郎の耳に囁いた。銀二郎の脊椎に灼けつくような力がみなぎり走った。銀二郎ははじめて長い切ない憧れに触れた。柔らかく、熱く、かぐわしく、銀二郎にとって女体は陽の光に温《ぬく》んだはてしなく豊かなあふれる海であった。

るいと銀二郎のそうなったことは、不思議なほど誰の目にも疑われなかった。るいの細心の気の配りかたで、人前の二人はおよそなまめいたそぶりを見せたことはなかった。銀二郎の稽古事への打ちこみ方が、誰の目にも真剣に、遊び事でなく映りはじめたころ、るいが正式に銅壺屋を訪れた。

「銀ちゃんの芸は素人筋《しろうとすじ》じゃない上、本人がどうしても役者になりたいと思っているのを、お父っさんが怖くて云い出せないで悩んでいます。あたしには芝居の方に強力なつてもありますし、思いきって銀ちゃんの身をあたしに任せてはくれまいか。跡とりとはいっても、銅壺屋のしにせを守っていくのは、誰の目にも弟の鉄三郎さんがうってつけと思われます」

　そんなるいの口上を苦い顔で聞き終った作平は、拍子ぬけがするほどあっさりと、銀二郎の将来をるいにゆだねることを承知した。そのかわり、家督は弟に譲るという一札を、その場で銀二郎は作平にとられてしまった。

　翌日から、銀二郎はるいの家に内弟子の名目で同居した。銀二郎が十八歳、るいが四十九歳になったばかりの松の内だった。るいの弟子たちは事の次第にあっけにとられた形だったが、二人の年齢の差と、いくら色っぽいとは云え、るいの左の頰の凄じい傷あとを思いあわせ、二人の仲はよもやという気持が強かった。それでも現金に、目にみえて若い男の弟子は減っていった。るいは稽古所のさびれることなど一向気にかけなかった。

「あたしはもう、なみの人間の三人分くらいの人生をたっぷり生きて来てるんだよ。今更欲も張りもあったもんじゃない。もうどうでもよく、いつ死んでもいいと思ってたんだけど、お前さんとまだこんな因縁が残っていたんだねえ。好き放題、勝手気ままにして、さんざん人に迷惑もかけてきたものさ。せめて最後のお前さんくらい、おかえしをもらわないで幸せにしてあげたいのさ」

るいのいう人の三倍もたっぷり生きた人生経験を、寝物語に一つずつ聞かされる度、銀二郎は、まるで絵草紙でもめくるような華やかさや凄惨さに胸をときめかされた。

るいは江戸時代に代々千両分限を誇った蔵前の札差《ふださ》しの家の一人娘に生れた。武士に蔵米《くらまい》をかたに高利で金を貸しつけ肥えふとり、俗に札差しの権利は千両株といわれるほどの利益のあった商いだけに、るいの生家も暮しぶりは豪奢を極めていた。るいの生れた時はすでに、御維新後の改革で、札差しは米屋になっていたけれど、暮しむきは江戸時代と大差がなかった。るいの実母もやはり早死して、若い継母が来ていたが、るいの父は吉原で全盛を誇った遊女をはじめ、落ちぶれた旗本の娘や、町家の後家などを数人も囲っていた。

るいは三つ四つの時からあらゆる遊芸をしこまれ、乳母日傘《おんばひがさ》で甘やかされ放題に育てられた。美しい継母や父の妾が仲よさそうに膝をつきあわせ、金蒔絵《きんまきえ》の簪箱《かんざしばこ》をひろげて珊瑚《さんご》玉《だま》や鼈甲《べっこう》の手入をしている中にまじって、るいはどんな我儘でも通してもらえないことがなかった。忙しい父よりも、るいは姉妹のように若い継母のひさとうまが合った。ひさは生来淫奔な性《さが》で、父の目をかすめ番頭の一人と通じていた上、役者買いもした。ませたるいの口ふさぎに、ひさは十四歳のるいに役者を買ってあたえた。向島の寮で、るいは自分よりもあでやかな女形の千代麿と、むせるような春の夢を見た。

その翌年、養子をむかえさせられたが、るいは生真面目一途の、豪農の二男の夫の野暮さを嫌いぬき、家を出てしまった。千代麿の手引で、名を秘して柳橋から半玉に出たのもその頃だった。遊芸は身についている上、咲きほころびた桃花のような初々しい美しさが匂い、奔放自在な野性の情熱があふれているので、るいはたちまち評判をとった。その頃ちょうど、ひさに男の子が生れたため、るいのけた外れの道楽はかえって黙認されるようになった。

半玉になってはじめての冬だった。前夜から降りだした大雪が庭の燈籠の脚をすっかりかくすほど積った。大通《だいつう》で名の通ったさる伯爵がおしのびで居つづけの最中だった。珍しい大雪の朝の景色を見て、遊びにうんでいた伯爵が云いだした。

「この雪の中で二時間、長襦袢《ながじゆばん》一枚でころがってみせたら、望みしだいの金と着物をやってもよい」

妓《おんな》たちは顔を見合せて首をすくめるばかりで誰一人、名乗り出る者はなかった。その時背後の座敷でしゅるしゅるっと帯をとく音がした。と、いきなり燃えるような緋縮緬の赤が炎のように雪の上に踊り出ていった。あっと一同が息をのんだ。るいが、きらめく処女雪の中に、にっと笑顔をみせたまま胸に袖をかきよせ仰向けにころがった。それから二時間、みんながどんなに騒いでも、なだめても、るいは雪の中から起き上って来なかった。ようやく二時間たった時、るいは唇を紫色にし、歯を鳴らしつづけながら、半分気を失った姿で、ようやく助けおこされた。口がきけなくて、指で雪の上に「ごぜん、おやくそく」と書いた。るいの強情さは当分語り種になった。

それが縁で、るいは伯爵の子を産んだ。女の子だった。

「あたしが十六で産んだあとにもさきにもたったひとりの子どもなんだよ」

「その子、どうしたんだい」

「産みおとすなり乳を一日のませただけで、御本邸へひきとられてしまったのさ」

るいは、短い間だったけれどあたしを女にしてくれたのは、あの御前だったとつけたした。二年たって、伯爵はるいの上で息を引きとった。その年、るいの父も悪性の感冒をこじらせて急逝した。

父の葬式を機に実家に帰ったるいは、二年ほどの間に、ひさと二人でありあまる財産を女だてらに蕩尽《とうじん》しつくしてしまった。着物や指輪で失くなるようなたかではなかった。二人が競争でけた外れの役者狂いにいれあげたのだ。

「役者をいろに持つくらい馬鹿なことはないのだよ。遊女の誓紙《せいし》と同じで、金の切れめが縁の切れめ。でもさ、その時の道楽のおかげでお前さんの望みをかなえさせてあげられるんだよ」

るいが買ったと指を折る役者の名を聞いて、銀二郎は嫉妬するよりあっけにとられた。現在、千両役者として人気をとり、役者番付にあげられているほどの歌舞伎界の大物は総なめであった。

「うそだとお思いかい？　そりゃ、気位の高い、なかなかものにならないのもいたさ。でもねえ、積んでみせるお銭《あし》の高さがものをいうんだよ。それに何といっても二十前の小娘の度外れた遊びだもの、役者の方にだって好奇心があったのだろうよ」

銀二郎が一番聞きたかったるいの顔の傷についても、るいは隠すふうもなく語ってくれた。きれいさっぱり無一物になったるいは、再び左褄《ひだりづま》をとった。今度は一本の芸者として売りだした。もう二十になっていたるいは、万金を蕩尽した経験と度胸が身にそなわり、はじめから堂々とした一人前の芸妓に見えた。絵はがきになったり、「文芸倶楽部」のグラビヤを飾ったりしたのもそのころだった。

まもなくドイツ人の医者に見染められ、もの珍しさがるいの方にもあって、異人に落籍《ひか》されることになった。横浜の港の見える丘の中腹にある西洋館で、るいはたまには洋服を着てくらすようになった。牛乳風呂や香水風呂の贅沢《ぜいたく》を、るいはそのらしゃめん時代に覚えた。異人との閨房は期待したほどのことはなかった。痛いほどこわい毛に掩われたきめの粗いぶよぶよの皮膚に触れていると——自分の細い腕でも締めつけることが出来る、汗にぬれたなめし皮のような日本の男のなめらかな皮膚、しなう強靭な細い胴がなつかしくなってきた。

そんなある日、馬車で町へ出たるいは、元町通りで一台の馬車とすれちがった。洋服にパラソルをさしたるいを、珍しそうにのぞきこんだむこうの馬車の男が、あっと声をあげた。るいも思わずふりむいた。何年か前、るいの放蕩時代馴染んだ役者の一人だった。宮古座に出ているその男にわたりをつけるのは造作なかった。るいはドイツ人が東京へ出た留守に役者を館《やかた》へ引きいれた。一度にすればよいものを二度、三度と首尾を重ねた。るいに横恋慕していた門番が裏切った。三度めの密会の時、逆上して現場にふみこんだ医者にいきなり硫酸をかけられた。

銀二郎は聞きだせば、いくらでも底なしの沼のようにずるずる泥の中にひきずりこまれる、るいの過去の深さに慄然とした。そのくせ、また数日たてば、もっと知りたい欲望にかられ、るいの昔語りをせがまずにはいられない。聞いている時は、まるで他人の数奇な身の上話でも聞くような面白さにひきこまれる。聞き終ったあとでは、るいの話の毒気にあてられ、消えてしまいたいような自己嫌悪に、吐き気をもよおしてくるのだった。斬っても裂いても血も出さない不死身の女郎蜘蛛に捕えられた虫けらのように、自分が卑小に思われてくるのだ。自分が生れる前に、すでに三十年も人生を経験しているるいの過去の壁は厚く、銀二郎には爪も立てられない。それほどのことをした女が、この程度の傷を顔にのこしただけで相変らず、不思議な若さをたたえているのが、気味が悪かった。

おかしなことに、人が気味悪がる、るいの顔の傷が、銀二郎には一向に気にならないのだった。るいがそれを目だたせなくするため、どれほど細心の心配りで自分の動作を律しているかなど、銀二郎には考えるゆとりがなかった。傷あとは顔だけでなく、右肩の後ろから胸の方は乳房の上までのびていた。ただそこは着物をとおしたものか、顔のような凄じさではなく、赤く一皮ひきむいたような色になっていた。指のはらに、つるっとした特別の感触でふれるのを、銀二郎はきらいではなかった。るいもその傷あとに愛撫をうける時、独特の官能がうごくらしかった。

ことば通り、るいは間もなく銀二郎を左団次の弟子にした。どこにどう手をまわしたものか、梨園《りえん》に何のバックもない銀二郎にしては、思いもかけない幸運だった。洋行帰りで新しい芝居をどしどし試みる左団次の部屋には、旧来の芝居者のところにはない新しい空気がみちている。銀二郎のような、何のひいきもない立場の者には、吸いやすい空気がみなぎっていた。

銀二郎の修業時代、るいは文字通り入れあげつづけた。銀二郎が気がつかぬうちに、裏方にまで、るいのつけとどけが充分にとどけられていた。財産を使いはたすほど役者買いをしたるいの経験が、ようやく今生きて使われるようになった。芝居茶屋でも、今なお語り種になっているるいの遊びぶりは、忘れられていない。るいのいろだということで、銀二郎に箔《はく》がつけられる始末であった。生れつき気の利く性質と、熱心さが買われ、そのかげにはもちろんるいの強力な運動もあって、銀二郎は、左団次の付人にとりあげられた。腰元役で舞台に居並ぶくらいだったころから、もう美貌が目立って、ひいきの客がつく人気だった。銀二郎はどんなひいきの座敷に呼ばれても、十一時がくると、さっと席を立って帰ってゆく。決して身を売ることはしなかった。役者は身を売るのが常識とされた時代に、銀二郎のように身が堅くては小遣銭もかせげなかった。るいが格別嫉妬するわけでもなかった。かえってるいは銀二郎の身持の堅さを気にし、銀二郎が相変らず十七歳の時の悩みの尾を持って、コンプレックスのため他の女と交渉をもてないのではないかと気をまわした。

「あんなことは、簡単な手術ですむことなんだよ。毛唐《けとう》はとげをぬく程度に考えてやるそうな」

といって手術の金まで出してきたりする。銀二郎はうらめしそうな苦っぽい笑いになって首をふった。

「ほっといておくれよ。おれ、だめなんだ。お師匠さんのはきだす蜘蛛の糸みたいなものに、べったりとりつかれて、どこまでいったってお師匠さんに手綱をにぎられている感じなんだ。その糸がぷつんと切れたら、どんなにせいせいするかと思うことは、正直いって時々はあるさ。それが、でも、無性にこわいんだ。情けない。全く情けないと思うことがあるけれど、お師匠さん以外の女は女に見えない。おれ、もう駄目なんだ。一生お師匠さんのいろで終りそうだ」

今でも二人の間はお師匠さん、銀ちゃんの呼び方が改められていない。るいは、銀二郎のことばを聞くと、思わず左の顔をかばうのも忘れ、正面きって銀二郎の目をひたと見つめた。

「そんなことはよくないよ、あたしゃお前さんだけは幸せにしてやりたいんだ」

「今だって幸せだよ」

「人並な結婚をさせなくちゃあ」

「そいつは無理というもんだ」

「無理なもんかね。わかったかい、あたしゃきっと、お前さんに、とびきりきりょうのいい、いい嫁をみつけてあげる。銀ちゃん、お前さんが結婚するまでのあたしの女の命だと、とっくにあたしゃ決めているんだよ」

云い終ったるいの顔に、急に疲れが滲み、白粉の下から一面の小皺がふきあがってくるような気がした。るいはすでに五十四歳、銀二郎も二十三歳になっていた。「好きなだけ使っていいんだよ。あたしゃもう、自分の人生は終ってるんだから、今のあたしのいのちは、みんな銀ちゃんが使いはたしていいんだよ」夜の床の中でささやくるいの、いつものことばに、これまでよりもっと熱っぽさと真剣なひびきがこめられてきた。きゃしゃなるいの体は、うす青いらんぷの灯の中では、人魚のような妖しい白さに濡れ、底のない泉のようにゆたかにあふれつづけていた。

その年の五月、銀二郎は歌舞伎座で絵本太功記《たいこうき》の初菊、義士伝の力弥、双蝶々《ふたつちょうちょう》の吾妻を勤めて、市川左吉と改名し、名題に昇進した。その直後、銀二郎は鉛毒にかかって倒れてしまった。

「名題になって歌舞伎座の舞台がふめたんだ。おれはもう、死んだっていいんだ」

病気で弱気になった銀二郎を、るいは叱りとばしながら、夜も寝ない看病をつづけた。取りみだし、みだしなみも忘れきったるいの姿から、近所の者は、はじめてるいの傷は頭の中まで及んでいて、るいの美しい髪のすべてがかつらだったのに気づいた。四、五日、生死の境をさまよった銀二郎の病気にわれを忘れたるいは、びんつけでぬりこめ、紅と白粉をとかした下地をはき、その上にまた白粉を塗りこめるという普段の化粧さえなおざりにした。素顔に近いるいの顔をのぞきみた人々は、むきだしにされた裸の年齢の爪あとと、二目と目をあてられない左半面の凄じい傷あとに、ぞっとした。その顔にかつらの髪をふりみだして、るいは鳥森の稲荷《いなり》でお百度をふんだ。

銀二郎の病気が快方に向かい、草津へ湯治に出かけた後、大地震があった。十月に入って帰京した二人は、佐久間町の家はもちろんなく、銀二郎の実家の銅壺屋が三年ばかり前から尾久《おぐ》に移っているのを頼り、身を寄せるよりなかった。銅壺屋には、鉄三郎に気立のいい嫁が来ていた。

るいは指輪をぬいて四十五円で三味線を手に入れ、弟子をとりはじめた。年の瀬までには七、八人の弟子がつき、その一人の家の離れに話がついて、るいと銀二郎は移ることが出来た。

二人の過去を知らないそのあたりでは、誰も銀二郎をるいのいろだと思う者はなかった。相変らず、お師匠さん、銀ちゃんと呼ぶならわしを聞いて、内弟子から養子になった母子だろうと決めていた。年より若づくりでなまめきは残っていても、もう五・

十の半ばになったるいと二十のはじめの銀二郎との仲は、色恋の縁とは、傍目《はため》に見えなかったのだ。

るいの稽古の収入ではもう二人の口を支えられず、銀二郎はどさ廻りの誘いに乗ることに決めた。その一座では、るいも三味線ひきとして同道してくれるようにとの条件だった。願ってもないことに思った。それから数年、二人は全国を巡業して歩きつづけた。るいはもう、傷をかくすためのたいそうな化粧法など、とっくに忘れはてたように、どんな小銭も銀二郎の小遣いにまわしてやった。今のるいのただひとつの楽しみは、冷のコップ酒を朝晩にきゅっと一気にのみほすぐらいだった。この旅の終りが、銀二郎と自分との情事の終りのような予感が、るいにはしていた。六十になったるいには、三十になろうとする銀二郎の体力が、さすがに重荷になってきていた。銀二郎の歓びにはずむ息を聞きながら、るいは時に灰色にかすんでくる目の中で、自分の若い肉体の上で死んでいった伯爵を思いだすことが多くなった。銀二郎に殺されるなら、気まま放題にすごしてきた六十年の命が惜しくもないと思えるのだった。銀二郎の青春を自分の老醜に結びつけて、命を注ぐつもりでかえって銀二郎の若さを滋養にして生きのびているような自分の老いが、浅ましくなってくる。

るいが六十歳、銀二郎が二十九歳の暮、二人は旅先で解散した一座に別れ、数年ぶりで尾久へ帰った。尾羽打ちからした帰りかただった。

その頃銀二郎の実家は、ドラム罐《かん》の製造が当り、隆盛をきわめていた。猫の手もほしい中へ帰りついた銀二郎に、弟の鉄三郎は家業を手伝ってはくれまいかと云った。三十七の時から、るいのいろになり、役者稼業以外何一つ身に覚えのない銀二郎も、三十の春から、弟の仕事を手伝いはじめた。長い放浪の旅がたたって、るいは東京の土をふむと急に弱り、病気がちになっていた。それでもまた弟子をとり、たとえ七、八人の弟子でも、自分の口だけは銀二郎の世話になるまいとする。

「強情もいいかげんにしたらどうだ。今じゃ食わせられないわけじゃなし、鉄三郎の工場じゃ、どうにもさばききれないんで、もう一つおれが工場をつくることに決めてきたんだよ。お師匠さんには楽隠居させろって、鉄も、鉄の嫁も云っているのに」

るいは久しぶりで艶っぽい昔の笑顔に頬をかがやかしていった。

「いろに養ってもらうほど、あたしゃ女をすたらせたくないのさ」

「こいつ」

銀二郎は冗談にこぶしをふりあげ、久しぶりでみるるいのなまめきに身内にときめきを覚えた。そういえば、旅の終りごろから、るいの衰弱をいたわって、いつとはなしに遠のいていたるいの身体が、なつかしくなる。銀二郎は荒々しい力を覚えながら、るいの肩につかみかかっていった。

新しい仕事に銀二郎が打ちこんで、またたくまに五年がたった。るいが鉄三郎夫婦を訪れた。銀二郎に嫁をとる話をすすめてくれという申し出だった。十条の方の銀二郎の工場が出来上るのを機会に、ぜひとも銀二郎に一家をかまえさせたいというのであった。

「それでお師匠さんは、得心がゆきなさるのか」

銀二郎より老成した鉄三郎は、るいの心根を思いやって聞かずにはいられなかった。前々から考えていたことなのだけれど、いいだすしおがなかったままでだ。銀ちゃんは気の優しい人だから、あたしに気がねをしてなかなか承知しないけれど、どうでもここであの人の身を固めてやってくれと、るいは乾いた目をして気丈にいいつのった。候補者も考えている。最近弟子になった三丁目の初枝さんならしっかり者だし、きりょうはずばぬけているし、あの娘の方は充分、銀ちゃんに気があるのだからと、相手の話までして帰っていった。気の優しい鉄三郎の妻の菊は、るいが帰っていくと涙ぐんでいた。

「あんなこといって、本当に銀ちゃんにお嫁さんもらったら、お師匠さん命がちぢまるんじゃないかしらん」

「お師匠さんは今年いくつになんなさったのか」「銀ちゃんが三十四だもの、お師匠さんはたしか三十一上の六十五の筈ですよ」菊も鉄三郎も二人の年齢のひらきにぞっと背筋が冷たくなった。

銀二郎と初枝の婚礼があげられたのは、その年の秋であった。どのような話しあいになったのか、どうしても首を縦にふらなかった銀二郎が、とうとう折れて初枝を迎えることになった。初枝は人目をふりかえらせるような派手な美貌の二十二の娘で、紋付姿の銀二郎と並んだ花嫁姿は誰の目にも似合の夫婦だった。婚礼の当日、るいは、病気と称して鉄三郎の二階の一間にこもりきりで出席しなかった。るいの遠慮だとわかり、誰もるいをそっと遠まきにしていたわった。

夫婦は十条の新居に住み、当分、るいは鉄三郎の二階に身を寄せることになっていた。夫婦の生活が秩序づいたら一日も早くるいを呼ぶというのが、銀二郎の意志だった。初枝は、浅草の安来節の小屋ではやし方をやっていた女の産んだ父なし子で、苦労して育っただけにしっかりものであった。料理屋の女中や、射的屋の店番など転々としたが、高望みをもって、身を持ちくずさないで来た女だった。初枝母子は、るいと銀二郎の仲を知っていた。知った上で、銀二郎の今の財力に目をつけて嫁入ったのだ。はじめからるいに尽す気持など毛頭なかった。六十五歳の化物老婆と二十二歳の自分が比較されてたまるものかと考えていた。初夜の時、銀二郎から、るいを母親と思って死水をとってくれといわれ、しおらしくうなずいてみせながら、初枝はこんな侮辱に仕かえしをせずにおくものかと考えた。

るいは銀二郎の婚礼の翌日から食物が喉にとおらなくなった。むりにたべさせると、みんなもどしてしまう。四、五日のうちに、げっそりやつれが出て、一まわりも小さくなったように見えた。一言も銀二郎のことを口にしないけれど、待ちわびているのが世話をする菊には痛いほどわかった。

「銀ちゃんもあんまり薄情じゃないか、やっぱり若い嫁さんにうつつをぬかすのだろうか」

菊は本能的に虫の好かない初枝への感情の反動で、夫に銀二郎の悪口を訴えていた。その時、そそくさと銀二郎が店からかけこんできた。工場着で手に油のしみをつけたままだった。銀二郎は弟夫婦にろくに挨拶もしないあわただしさで、るいの枕元にかけ上っていった。菊がお茶を運んでいくと、銀二郎がるいの手をとって顔におしあて、背をふるわせて泣いていた。見てはならないものを見たと思って菊は、あわてて足音をしのばせて降りていった。

「わかってるんだよ。いいんだよ。初枝さんは若いんだから、お前さんがあやしてやらなくっちゃならないよ。あたしのときとはちがうんだから」

「だめなんだ、おれ、初枝とじゃだめなんだ。やっぱり結婚するんじゃなかった」

西洋枕に左の頬を埋めてかくし、白い右頬だけを銀二郎に向けているるいのきれ長の目に、涙があとからあとからもりあがりあふれでてくる。るいは銀二郎の手をとり、ふとんの中にひきこんで自分の胸に導いていった。銀二郎の指のはらに、つるりとしたるいのやけどの皮膚のあとがふれてきた。なつかしさが銀二郎の全身に血をたぎらせた。ことばのいらなくなった二人の長い愛の歴史が、二人の皮膚のふれあいの中にとどろきをたててさかまいてくる。

「今日からでもうちへつれていく。こんなに弱ってだめじゃないか」

るいは首をふった。

「初枝さんが、あの家にもお前さんのからだにもなじむまで、あたしゃいっちゃならないんだよ」

銀二郎はもうあたりはばからない声をあげ、るいの薄いからだをふとんの上からかきいだいた。その時菊が階段の踊り場に首を出して銀二郎を呼んだ。

「たいへんなの、初枝さんが血相かえてやって来てるのよ。お師匠さんとあたしとどっちが大切なんだって」

菊のひそめた声は決してるいの耳にとどく筈はないのに、るいがはっきりした声でいった。

「いっておやり、いっておやり」

半月ほどたって、るいは銀二郎の家の近くの借家に移った。同じ家ではどうしても初枝が承知しないので、かえってるいを苦しませてはと、一人住いにさせたのであった。銀二郎は工場の仕事の合間合間に、初枝の目を盗んでるいを見舞った。通いの老婆をやとってみたが、病人の悪臭が堪えられないといって逃げだしてしまった。るいは癌にかかっていたのだ。

「くびれた方が楽になるけれど、お前さんの名に傷をつけたくないからね。あたしの最後の心やりだよ」

るいは土気色になってひからびた頬をふるわせ、あえぎあえぎいった。銀二郎は、るいの苦しみを縮めてやれるなら、いっそ一思いにそのやせ細った首をしめてやりたいような誘惑にかられた。こんな残りの短い命だったのなら、なぜ早まって結婚などしたのだろうと、銀二郎はくやみきれない残念さがあった。

翌日、どうしても工場の手がぬけず、夜になって銀二郎がかけつけた時、るいは、もうこときれていた。看る人もない部屋で、ひとり悶《もだ》え死《じに》したらしく、ふとんの皮をつかんだ両掌のつっぱりが目もあてられないむごたらしさだった。

それから三年目のるいの祥月《しょうつき》命日に当る日であった。物覚えのいい菊は仏壇にるいのために線香をあげながら、

「銀ちゃんもどうしたでしょうね」

と、るいに話しかけるようにつぶやいていた。るいが死んでからの銀二郎はふぬけのようになって、仕事も投げやりに終日縁側で膝をかかえこんでいる日がつづいた。勝気な初枝はるいの死で勝ちほこり、無気力な夫をさしおいて工場へ出入りしはじめた。一年もたたぬうちに、初枝は高工出の工場長と出来て、大穴をあけて高飛びしてしまった。あわてて調べあげた時には、集金という集金をあさりつくし、借りだせるだけの金は借り倒してあった。負債はみんな銀二郎の名になっていた。そんな目にあっても萎えたような銀二郎の態度は一向に改まらず、いつのまにか銀二郎自身姿をくらました。今にも人手に落ちそうになっていた十条の工場も、どうにか鉄三郎の力で持ち直して来たが、銀二郎の消息は杳《よう》としてしれなかった。

その日の午《ひる》すぎ、菊は見知らぬ人からの電話を聞いた。

「お宅の御縁つづきだという銀二郎さんが死にかかっています」

病人の口からやっと電話番号を聞きとったという人へ、礼もそこそこに、菊は教え

られた地名へかけつけていった。鉄三郎は生憎《あいにく》関西へ出張中だった。王子の場末の、ごみごみした路地の奥に、銀二郎の長屋があった。そこだけ黄昏に包みこまれたような暗さだった。

一歩中へ入って菊はあまりの無惨さに息をのんで立ちすくんだ。畳もない床に荒むしろが三枚しいてあった。その真中に長々と横たわっている人影、一枚のせんべいぶとんの上に、着る浴衣もなく、古びた金巾《かなきん》のカーテンが環をつけたまま、まきつけてあった。顔には、誰の親切か、灰色に煮しめたような汚れたふきんが、それでもたった今洗った形跡のしめりをのこして、かかっていた。死者の顔をつつむ白布にしてはあまりにいたましすぎる。菊はかけよって黒いふきんをもちあげた。やせおとろえ、十も年をとったような銀二郎の死顔が、意外な静謐《せいひつ》にみちて微笑をたたえていた。

「お師匠さんがお迎えに来なすったんですね」

菊は生きている銀二郎にいうようにつぶやくと、自分の声にせぐりあげた。泣いている菊の背後から大きな鼠がとびだし、菊の膝をかすめて仏の胸にかけ上り、部屋をつっ走った。驚かされ、涙をのみこんだ菊の耳に、鼠にひっぱられた死装束のカーテンの環がかすかな音を伝えた。

ざくろ

こんな男のこどもなど、生めるものではないと私はそっと、亮吉《りようきち》の背をぬすみみるのでした。

戦後十年もたつのに、四十すぎた亮吉の後姿は、戦争中からの栄養失調を、大切に保存してでもいるような、ぎすぎす骨ばった情けないものなのです。気力をどこかに取り落してしまったふうな、亮吉の背の表情は、まるで、影が厚みを持って、そこに浮び出たのではないかと思われる怪しげな雰囲気さえ漂わせています。

痩せて、背ばかり高い亮吉に、私はせめて、目の錯覚を利用してでもいいから、堂々と見えてほしいと、亮吉の年にしては、いかにも派手な、太い横縞のゆかたをつくって着せてみました。

けれども、糊がきいて、かっきりと縞の浮きたつゆかたの中では、かえって亮吉のからだは衣紋竿《えもんざお》のように骨ばって見え、新しい着物に緊張した亮吉が、ぎくしゃく不器用に動く度、どんな目の錯覚によるまやかしをもうちまかし、貧相な中味を、実質以上に細々と想像させるという苦い経験を、私になめさせただけでした。かといって、どのように暑い日中でも、亮吉は裸でいたり、半ズボンをはいたりはしたがらないのです。彼自身、誰よりも承知している貧相な肉体をまだ私の目にも、ありありとさらすのは、亮吉のみえが許さないのでした。

私も、亮吉の、もう肉のややたるんだ瘦臑《やせずね》――しかもその臑に若々しい性的魅力にとむあの男のむだ毛がほとんどなくなっているのが、何よりも私の不満でした――を、人目に露出しておくにはしのびません。

私は慎重を期し、今度は、鼠色と黒と白が曖昧模糊《あいまいもこ》といりみだれ、おまけに絞りを真似て縮らせてあるという新柄ゆかたをみつけてきて、亮吉に着せてみました。ごわごわと縮みのきいたそのゆかたは、亮吉の年相当の地味さのせいか、前の太縞よりかは亮吉にぴったり似合うように思われます。よれよれの人絹さんじゃくをアイロンで押しのばし、低めにたっぷりとしめさせると、はじめて私には上背のある亮吉が、いくらか世の常並の中年男らしく堂々とみえてきたので、うれしくなってしまいました。

ところが、亮吉にそのゆかたを着せ、とくとくとしていた翌日のことです、マーケットのお惣菜屋の前で、ばったり逢った隣の奥さんが、買物籠を下げて私によりそいながら、持前の暢気《のんき》な声で話しかけてきました。

「ねえ……お宅のあのかたねえ……」

亮吉と私の普通でない関係は、もうここへ越して一年の今、近所では誰知らぬ人もないようでした。離れを貸してもらっている母屋の老婦人も、亮吉のことを、何時《いつ》のまにか、だんなさんとは呼ばず、佐多さんと亮吉の姓を呼ぶようになっていました。近所では一番親しくつきあっている隣の奥さんも、私に向って亮吉の呼名には当惑するらしく、いつも「あのかた」とか「あなたの彼氏」とか、「佐多さん」とか、その時の調子で呼ぶようになっています。

「ほら……佐多さんよ」

といいなおし、

「後姿の肩んところが、何ともいえず、さあみしいのねえ、どうしてかしら、ゆかた着て、すっすっと、重さがないみたいに歩いていくでしょう。その後から見てたら、じつにさあみしいじゃないの」

どきんと、私は血の流れがとまったように思いました。

この奥さんは、私と同い年で、学校にあがった女の子が二人いる今も、御主人を婚約時代のまま、明夫さん、明夫さんと呼ぶ無邪気さです。どうやら、姫鱒《ひめます》の養魚をやっておられるという御主人の事業が、ちかごろは、輸出不振のあおりをくい、暗礁に乗りあげているらしいのに、一日中、いい声で唄などうたい、御主人がお金の工面で四苦八苦、帰りが遅い夜など、近所の手前も考えず、淋しかったと、わあわあ大声あげて泣きだすのです。

そんな暢気の標本みたいな奥さんが、事もなげにいいすてた言葉の真実さが、ぐさっと、私の胸を突きとおしてしまったのです。「さあみしい」と、節をつけたような奥さんの言葉の余韻が私の胸に、寒い風をまきおこすようでした。

「そうね——若い時、病気ばかりしてたからかしら……」

私は反射的にそんなでたらめをいって、胸のどきどきをおしかくそうとしました。亮吉の若い時なんて、私の知っている筈はないのです。彼とはまだ、満二年にならないつきあいなのですから。

あんな苦労しらずの天真爛漫な人にも、亮吉の後姿の頼りなさに気付かれるほどなのかと思うと、裏木戸で奥さんと別れ、自分の部屋へ帰るまでに、私は三度も立ちどまり、情けなさに、ぐっぐっと涙をのんでいるのでした。

そんなことは露しらぬ亮吉は、新しいゆかたの胸へ、ばたんばたん、おうようらしくうちわの風を送り、縁側の籐椅子《とうい す》にふんぞりかえり、私のさげてかえった四合びんの中の三合の酒をみてにやっと相好をくずすのです。酒のお金だって、亮吉は出せない貧乏でした。

そんな亮吉が、どうしたのか、酔うと決って、「こどもがほしい」と、いいだすようになったのです。酔は自制心を無くすというのが本当なら、亮吉のこの願望は、案外四六時中、亮吉の心のどこかにたたみこまれている切望なのかもしれません。

「だって、赤ちゃん、誰がお守りするのよ、第一、赤ちゃんおなかにいれて、あひるみたいなかっこうで、仕事とりにいってごらんなさい、とたんにお払い箱だわ」

私は雑談にまぎらせようと、おどけた調子でいいました。

私はこども雑誌にさしえなどかいて生活しています。夫と別れた履歴も、こういう社会ではかえって箔のつく経験ということにもなるらしいのですが、やっぱり、私が三十をこしたばかりで年よりはいくらか若く見え、係累の無い独り暮しという身の上が、仕事をとる上にずいぶん得をしていることはいなめません。これで、亭主と名のつくものがあるとわかれば、私よりおおむね年の若い編集者たちは、今よりもっと反身になって、

「いい年して、こんなつまらぬ仕事してないで、亭主に養ってもらやいいじゃないか」

と、うそぶくに決っているのです。ましてや、かい性のない情人を持っているなどとわかれば男に貢ぐ金の心配までしてやれるもんかと、残飯を乞う犬より惨めに追っぱらわれるのがおちに決っています。その上、こどもなんて――。

月六千円の部屋代を払い、外では男並のつきあいを派手にして、商売柄、そう流行おくれの服装も出来ず、今ではぜいたく好きの亮吉の酒代まで心配しなければならぬとあっては、月々の私の収入が、時には編集者の給料の二倍をこえようと、やっぱり火の車、亮吉の来ない日々には朝も晩もお茶づけにおこうことという暮しも、しなければならない経済状態なのでした。

「おれに稼ぎがあればなあ、双子でも三つ児でも生ませるんだがなあ」

亮吉はため息まじり、さも、無念さの口実のごとく、たてつづけに盃をあおります。もちろん照れかくしの下手な演技。私はそんな亮吉の、眉と眉との間の刻んだような二本の縦皺を、今更のごとく、つくづくとうち眺めるのでした。

恋のはじめ、その二本の縦皺を、私はもしやボードレールの生まれ変りではあるまいかと、惚れ惚れとながめいったものでした。縁日の夜店の額縁屋で、映画スターのブロマイドの中に、ぽつんとまじっていたその詩人のしかめっ面を、ぴったり思いださせる渋面です。

平ぺったい顔に、低いちんまりした目鼻をくっつけたお多福の私には、亮吉の、中高の彫の深い陰影に富んだ顔付は、哲学的神秘さを湛えているかのように思われ、眉間の深刻めいた皺こそは、現代知識人の苦悩の象徴かと目に映ったのでした。

ところが、後になって、その皺は、彼がこども時代からの弱視に、最近はかてて加えて、老眼が入り、それを人に気づかせまいと、四苦八苦、そばめ通してきた目頭の筋肉の、収縮作用が刻みこんだ単なる生理現象だとわかったのです。

またその頃、亮吉がその皺をより一層ぎゅっとしかめ、

「おれは、サラリーマンの、はんこで押したような単調な生活が、どうしても堪えられなかったんだ」

といった時、私はどれほど尊敬と感嘆のまなざしで、亮吉の顔を仰ぎみたことでしょう。

くらしの為には鳥肌立つお世辞のひとつも、ぬけぬけといわずにおられない、日頃の自分の忸怩《じくじ》たる性根に、腹を立てている私には、亮吉が世間的には、ちょっと名の売れた出版社の編集員という華やかな席をけって、部長とけんかし、辞表を叩きつけ

たという噂は、まことに颯爽《さつそう》と、胸もすく壮挙だと肝に銘じたことでした。

ところが、それも、亮吉が人並外れて臆病で、弱気で、事務的能力ときては小学生にも等しいということを知ってしまった今では、亮吉の方からわざわざやめなくとも、居つづけていたら、きっと、半年か一年の差で、首になったであろうという運命が、ありありと想像されるのです。

要するに、亮吉に関する私の誤解、誤算は、これを代表として続々とつづきますが、恋愛なんて、結局、誤解の上に発生する病状だとすれば、私のあわてものぶりを、そう卑下しなくてもいいのではないでしょうか。今となっては、もう、二年近い亮吉との生活の間に、私は亮吉にかけた夢のことごとくを打破られております。

亮吉の正体は、深刻な智的苦悩を悩む近代人とか、生きている間はえてして認められぬ掟《おきて》の、世紀の芸術家とかいったものではなく、何をやっても、片っぱしから目算の外れる、実生活の失格者に他ならないのです。スタートでたちおくれ、途中でころび、永遠にゴールに入りそこねた亮吉の目には、いつまでたっても、はるかかなたに切られてしまった白いテープが、幻影としてつきまとっているのではないでしょうか。

無口だということが陰険ととられ、病的内気と照れ臭がりやが、傲慢《ごうまん》とうつり、背の高いことが反感を招き、痩せすぎていることが不快をよぶ、今や、亮吉の存在のすべては、不幸と失意へ大車輪で、彼をひきずりこもうとあせっているようにみられるのです。

亮吉がせめて、稀代の怠け者とでもいうなら、彼の見事なまでの不運、不遇の境涯も、いっそ堂々としてくるのかもしれませんが、亮吉は小心翼々、その陰日向のない勤勉ぶりは、全く涙ぐましいものがあるだけ、悲惨をきわめます。

亮吉が、ひょろ高い自分の背丈ほども、売れたためしのない原稿を書きつづけている事実に対しても、今では以前のように、さほどの感激や同情も感じてはいないのです。私は元来、本を読むのは面倒臭い性《さが》のうえ、さしえの為の下手くそな原稿を散々よまされ、およそ小説なんて退屈なものだと思っているので、眠けさそいに短い詩くらいはみても、亮吉の小説なんか、一度も読んでみたことはありません。何でも、亮吉の酔のくぜつによれば、彼はいまだかつて、世界の誰にも書かれたことのないような、新しい小説を書こうとしているのだとうそぶくのです。他人の書いたようなものは、今更、書く気がするものかなど、痩せ肩をそびやかせてみせるのです。

それを聞かされた時こそ、私は目の前暗澹、もうだめだと、がっかり気落ちがしてしまいました。いくら私がしがないさしえかきだって、模倣こそ芸術の始めなりというくらいの、基本的常識は承知しております。それなのに、亮吉は、何という大それた望みをかくし持っているのでしょう。

そのような大冒険は、選ばれたる少数の天才にのみ許される試みにちがいありません。

天才とは必ず夭折《ようせつ》するものなりという定義を信じこんでいる私は、四十すぎても、交通事故にもかかりそうもなく、ひょろひょろ惨めたらしく生きのびている亮吉に、天才のかけらもある筈はないと、とっくにみきわめをつけているのでした。

私はそれを聞かされて以来、亮吉の小説が、まちがっても売れるようになる日は、絶対期待出来ないことを覚悟したのでした。

その上、亮吉は並外れの大酒呑みです。優生学的見地からみても、こんな亮吉は、お世辞にも優良種とみなすことは出来ません。

「どうしてもいや？」

亮吉はみれんらしく、私のひきしまったおなかに押しあてていた、こけた頰をはなし、真上から私の目をじいっと、覗きこみました。

「……だってえ……」

「大丈夫だよ、今ならまだ……ナミはこんなに若いんだ……それに初産じゃないんだもの……」

——だって、三十すぎのお産は苦しいっていうから——といういいわけを、ものの

みごとに見すかされてしまい……私はかなわないとふきだしていましたが、ふと、笑いがこわばってゆくのを感じました。いつだってこうなのです。亮吉の目は、まるで特殊レンズで出来ているように、私の心の中の、どんな微妙な影でも、すぐ読みとってしまうのでした。

私はまじまじと、裸のじぶんのからだを見直しました。ひきしまって、麦藁色《むぎわらいろ》に脂肪をのらせた私のからだは、薄みどりのスタンドの灯《ほ》かげのせいか、濡れた魚のように優雅に横たわっています。

まだこどもは生める……思いがけない波だちが、心の奥にさざめきたってきます。

まだ男はできる……ということばよりも、まだこどもは生めるということばの方が、女にとって、何とみずみずしく、涯《はて》しない可能を孕《はら》んだひびきをもっていることでしょう。私の掌は、むっちりとしたこどもの柔かな足の感触を、せつないほど思いだしていました。ふくらみはじめたばかりのいちじくの果《このみ》のような、かわいいふぐりをくっつけた清らかな男の子……。

私は、とつぜん、あっけにとられている亮吉の目の前で、す裸のまま、激しい美容

体操をはじめたのです。できるだけ、むずかしい姿勢を、アクロバットのふうに、次から次へえらびながら——じぶんのからだがまだ充分しなやかなことを、若さのみのもつ強烈な匂いをふきだす汗にたしかめ、狂ったようにはねまわり、ころがりつづけるのでした。

「よせ、ばか、よせ、くたびれるぞ……」

亮吉はおびえ、私の上にのしかかり、からだ全体の重量を利用して、まだ痙攣《けいれん》しつづけている私の全身を静まらせようと、必死になりました。私の心はしらぬまに声になっていたようでした。

「男の子がほしい……」

「うん、男の子がいい。ナミそっくりの、まんまるい顔の元気な子だ」

亮吉のまじめくさった口調に、私ははっと我にかえり、憑《つ》かれたように声をたてて、はげしく笑いだしました。

「いやあよ。亮吉のヒョロヒョロのからだに、あたしのやぶにらみとカラッポの頭のくっついたこどもが出来てごらんなさい」

私はどうにも笑いがとまらず、亮吉のからだの下で、おなかを波うたせ、むせびつづけました。

やっぱり、こどもは生めないと、亮吉の来ないひとり寝の夜々には、ひどく生まじめな顔付を凝らし、私は考えつづけるようになりました。

私の腹は、夫の元にのこしてきたエイコを生んだあと、ぎゅうぎゅう、さらしで二ヵ月も締めっぱなしにしつづけたせいか、娘のようにしなやかに、翳《かげ》ほどのたるみもとどめず、はりきっています。

亮吉との生活がはじまって、目だって豊かになった腰の線は、頼もしくみのっています。けれども、たっぷりあった母乳を、惜しげもなくエイコにくれてやったせいで、私の乳房だけは、もうみるかげもなくなってしまいました。

掌の中に入ってしまう柔かな乳房の上に、両手をおき、私はエイコに乳を吸われた時の、からだの芯から背中へかけて、むずがゆくひろがってゆく、快感と虚脱感のいりまじった、ふしぎな甘さを思いだそうと、一とき、心を澄ませてみました。

エイコは、このごろでは、私の夢にさえあらわれなくなっていました。別れたはじめの一、二年こそは、デパートへゆく度、幼い子供用の衣服やおもちゃが目について、おろおろ取り乱したものでしたが、ちかごろでは、たまに余分のお金でもにぎると、私は目の色かえて、一直線に、婦人物の衣料部や化粧品部に突進してゆきます。

いっしょに暮した歳月よりも、別れてからの月日が多くなってしまった今では、私の二十一に生んだエイコは、十をいくつこしているのかしらと、指を折ってみなければならぬ遠々しさなのでした。

亮吉にも、妻との間に女の子が一人あります。亮吉にいわせれば、一人くらいなら育てられようと、周到な計画のもとにつくったというのだから、笑わせられてしまいます。今もって、自分の口一つ養えない亮吉にも、そんな華やいだ自信にみちた季節もあったのかと、私はまじまじ、くたびれきった亮吉の横顔をみつめたものでした。大酒のみの亮吉が、その時は、一ヵ月も酒を絶った、というのだから、なみなみならぬ大決心だったことでしょう。私はその、逢ったこともない少女に七分の親愛と三分の嫉妬のいりまじった、複雑な愛情さえ感じているのです。

いつものように、飄然《ひょうぜん》と私のところにやってきた亮吉が、すっぱいような、奇妙な見馴れぬ表情をして、ちょっとの間、まじまじと私の顔を見つめた後、

「うちの子、メンスきたよ」

と、つぶやきました。

——じゃ、エイコもすぐだ——。

その瞬間、エイコと別れて初めて、私はエイコに関して強烈なショックを受けたのです。それは、私が家出して間もなく、エイコが悪質の流行目《はやりめ》にかかり、泣きただれ

た目をしていると伝え聞いた時よりも、もっと電撃的な痛みを伴った予期しなかった感情でした。

それいらいなのです。私は銭湯に行く度、ほのかに胸のふくらみはじめた少女のからだに、目を奪われるくせがついてしまいました。

目だって好くなったちかごろの少女のからだは、どの子のはだかも、申しあわせたように細腰がぎゅっとくびれ、脚がのびやかに見事でした。その子たちが、戦争中の一番はげしい時期に生命を宿し、戦後のあの欠乏と混迷の中に成長してきたことを思えば、そのすこやかな美しさに、感動の目をみはらずにはおられません。

やわやわとふくらみはじめた薄紅の乳首のあたりに、水滴を弾《はじ》かせながら、それらの少女は、まだ卑屈な羞恥になじまず、タオルでからだをかくそうともしないで、堂々と、大股に歩いて、湯船のふちをまたいでくるのでした。かわいらしい果実のように、ふっくらと盛りあがってよりそっている少女のそこは、幼児のあけすけな清潔さとはちがった、あるかなしかのほのかな陰影をたたえはじめています。

湯の中で、私はふっと、自分の両手を泳がせてしまうのです。きくきくと固そうな少女の肌に触れてみたい衝動がつきあげてくるのでした。

幼児の柔かなかわいい肉の感触は、まだかすかに覚えている気がします。けれども、皮を弾いてのびてゆく、白い粉をふいた若竹のようなすがすがしい少女の肌の弾力が、未知の触感として、ひどく私の好奇心をそそってくるのでした。

私の肉と骨をぬきとったエイコの肉体が、この東京のどこかで（私は別れた夫の現在の住所をあえて知ろうとしませんでした）いきいきと、女としての成長をとげつつあるという実感が、この時、はじめて私を捕えたのでした。

ぞっとする恐怖にちかい冷たい感覚が、湯のなかの背筋をつらぬき走りました。気味が悪い——実際、気味が悪いとよりいいようのない気持がします。気づかぬうちに、自分の影が自分からぬけだし、こっそり生きつづけている——。

お産の苦しみを私は何ひとつ覚えていませんでした。

北京《ペキン》の西単《シータン》のおしっこ臭い胡同《フートン》の奥の安産院で、八月のある暁方、私はエイコを生んだのでした。夜明け前、体の違和を夫に訴えて、洋車《ヤンチヨ》で病院へ運ばれてゆく二十分ほどの、西単大路の暁闇の、影絵のような静けさだけは、不思議にありありと記憶しています。洋車の上から、大陸の空をちりばめた星のきらめきを仰いだ時、私はかるい目まいに酔い、星が瀑布になって、私の中へなだれこんでくる錯覚におち、今こそ、おなかのこどもに生命が宿ったのだと、ひどく感傷的になって涙ぐんだものでした。ところがそれから三十分もたたないうち、私は病院のベッドの冷たいゴムシーツの上で、およそロマンチックとは縁遠い、現実的な姿態をとり、ころりとエイコを生みおとしていたのでした。

お産の軽かったことが、高尚でないように思われ、私は夫や医者にひどく恥しく、情けない想いをしたものです。

エイコの為に用意して、私が縫ってきていたベビー服のひとつびとつは、どれもみんなひどく大きすぎ、その日のうちに病院中の笑い話にされて伝わってしまいました。私はそれらを、出産に関する本と首っぴきで、いちいち用意したのですけれど、布をたつ時になると、どうしても本の寸法通りでは、お人形の着物のように小さく思われて頼りないのです。じぶんのふくらんだおなかをつくづくながめては、少しずつ、少しずつと、大きくはさみをいれてしまったのでした。でき上ったベビー服も下着も、本の寸法の二倍はあり、首あきなど、赤ちゃんの頭がすっぽりぬけてしまうほど大きくなっていたのに、私は気づかなかったのです。

「おすもうさんの赤ちゃんでも生むつもりだったの」

しっかり者の助産婦は、私をさんざん、からかったあげく、並よりもずっと小さかった私のこどものために、手ぎわよくその衣類にあげをしてくれたものでした。

学校を出るのを待ちかねて嫁いで、もうその翌月には、エイコをみごもってしまった私は、娘から妻をとばして母になった気持でした。そんなせいか、エイコを可愛がるというよりも、赤ん坊のエイコにひきずりまわされるかたちだったのです。授乳の時間も離乳の予定表も、エイコの泣き声で片っぱしから破られ、赤ん坊といっしょになって泣き出しながら、私はもうめちゃめちゃに、エイコに乳首をおしあてるのでした。

そんな不器用な、稚《おさな》っぽい母が、成長したエイコに感謝されることがあるとすれば、生後一ヵ月から一日もかかさずしてやった乳児体操と、わきの際にかくれるようにうえた種痘のあとなどの、つまらない心づかいくらいなものでしょうか。

今、私が成長したエイコの顔も姿も想像のしようもないと同様に、エイコにとって、私は影よりも頼りない存在でしょう。エイコが四つの時、捨てさった私は、かつて一度も、エイコから、将来母と呼ばれたいなどという、大それたことは考えたこともありません。

なぜ、私が、世間的に申し分のない夫と、一人の娘を置いて出奔しなければならなかったのか――今更、それを整然とした理由などで説明するのは嘘だと思うのです。言葉にすればなるような、ちょっとした動機や理由は、あるにはあっても、今となってみれば、私には、それらがみんな、ナンセンスないいわけとしか思われないのです。

ある日、ある時、ふっと、自分の全存在が奇妙な、自信のないものに思われ、過去の自分と何一つ関係のない新しい自分になってみたいと、心ひそかに思わなかった人間がいるでしょうか。私はただ単に、その想いをつらぬいてみたにすぎないのです。あんな無謀な蛮勇が、私のどこにひそんでいたものか、今でも私には不思議でなりません。

終戦になって、内地に引揚げてみると、まさかあんな田舎町がと、安心しきっていた故郷は、山と川だけのこし、一夜のうちに焼けつくされた跡でした。

修身も道徳も、もう何ひとつ信じることは出来ません。露ほどの疑問もいだかず、教えられたままに信じこんできた愚直なまでの素直さは、反作用の原理を証明して、みごとな百八十度の転回をとげるのは造作もないことだったのです。

それまで、夫だからという理由で、愛しているものと信じて一瞬も疑わなかった夫に、私はひとかけらの愛も持っていなかったような気がしてきたのです。

「エイコはどうするんだ、こどもに対する母の責任を思わないでいいというのか」

怒るといよいよ端麗に目鼻立ちのきわだってくる夫の、それがとっておきの切札でした。

「お前には母性愛がないのか。それでも人間か」

夫の怒声に、私ははっと、目をはじかれた気がしたのです。私はそれまで、エイコだけは誰にもまして愛していると思いこんでいたのでした。けれども、私のエイコに対する愛情だって、単なる習慣と惰性の上に組み立てられた、蜃気楼《しんきろう》のような幻ではなかったでしょうか。夫だから愛するものと思いきめていたように、こどもだから愛さなければならぬと信じこんでいたのかもしれない――私はもう、エイコに対する自分の愛も信じられなくなってしまいました。

父親に似てぱっちりと整った目鼻立ちのエイコは、目の表情だけがおかしいほど私そっくりに目まぐるしく動くのです。この子に、私が母だからというだけの理由で、愛を無理強い出来ないように、私だって、エイコに、子だからというだけの理由で、絶対の愛を感じなければならぬ鉄の規則なんて、ある筈がないのではなかろうか――。

もうその後はめちゃめちゃ。私は、それから正気ではないとされ、軟禁状態になり、その中から二度も三度も抜け出しては引戻されたあげく、とうとうある朝、夫の拳が私の顔の真正面にとんできたのです。当然の怒りの爆発でした。顔中、お化けのように腫れ上るまで殴りつけられました。私はそのはずみを捕え、永久に夫の家を飛び出してしまったのです。

はずみ——たしかに、私の離婚などは、もののはずみにすぎなかったと思われてきます。

夫との別れが、はずみで決定的になったように、私と亮吉との仲のきっかけも、今になってみれば、すべて淡々しく、やっぱり、ふとしたはずみで、傷だらけの魂が二つ、偶然もたれかかりあってしまったように思われもするのです。

亮吉のつまらなさが、いくら日を逐ってはっきりしてきても、物の価値判断のどんでん返しになってしまった私にとっては、今更驚くことはないのでした。自分で描いた自分の誤解に、自分で気がつき、目を洗われてゆく自由さには、私なりの倫理が、案外整然と構成されているのでした。

亮吉の頼りなさも、意気地なさも、無能力ぶりも、すべてをふくめて亮吉という、私のさぐりあてた奇妙な人格を、私は愛しているのかもしれません。何がどうと、説明できないけれど、私の心の表皮が、しっかりと亮吉の心に感応出来るのです。これが愛というものなのでしょうか。この世の中で、やっとただひとつ、信じられるものと、私のさぐりあてたものは、こんな頼りない幻のようなものだったのでしょうか。私の夢に描いた自由とは、こんなみすぼらしい色も香もぬけたものだったのでしょうか。

「おれがもし、こどもを育てられるだけ稼げるようになったら、生んでくれるか」

性こりもなく、まだ亮吉はそんなことをいいます。

「そりゃ……もう……でも、あと四、五年たったら、ほんとにおばあちゃんになってだめよ。まあそんなキセキおこりっこないな」

私は例によって笑いとばしてしまうのです。私には、そんなにしつこくいう亮吉が、ふと気味悪くなるのでした。卵をうみつけてしまえば、自ら死ににゆくという、魚族の一種のように思われてきたりします。私にこどもをつくらせておいて、亮吉はこっそり、ひとりで死んでゆくつもりなのではあるまいか——。

「いやっ、死んじゃいや、ひとりで死ぬのずるい」

私はがばと、亮吉のあばらの浮いた胸にのしかかると、亮吉の薄い背に爪をたて、激しく泣きだしました。そのせつな、そのような姿勢で、そのように激昂したある夜の相《すがた》が私の胸をかすめてきました。

たった一度、私はぜがひでも、亮吉の子がほしいと、希《ねが》った夜がありました。亮吉と町のホテルに泊り歩く金も尽きはてて、とうとう亮吉が私の部屋に来るようになった頃の冬のはじめでした。

亮吉の肩に頭をあずけ、亮吉の腕にくるまれて、その時、私はひどく自分がかわいらしい小さなものになったような気がしていました。ピアノのキイを叩くように、亮吉の浮きたったあばらを一本一本、指でおさえながら、私は亮吉のおだやかな呼吸の中に、きらめく泡になってしずみこんでしまいたい気がしました。真空になった世界の中に、亮吉と私の愛だけが、銀のくらげになって漂い流れて……憩《いこい》ということばは、このような時のみをあらわすためにつくられたのではないかしら……見上げる私の眼を、亮吉の眼がたまらないふうに、じっとみつめかえしていました。私はそんな風に亮吉にみつめられることが、どんなに好きでしょう。亮吉にこうして、私の一番好きなみつめられ方をしたまま、永遠にさめることのない憩に溺れこんでいけたなら……水をのみ下すよりもっと自然にそう思えてきたのです。

「ね、死にましょうね。ね、ふたりで――」

私はうっとりと亮吉の胸に囁いていました。その瞬間、私の指に伝わってきた亮吉の胸のどうきが、ひどく騒々しく乱調子に鳴りだしたものです。あきれて、そっと亮吉の顔をうかがうと、亮吉は顔面蒼白、目の中までさっと蒼ませ、乾いた唇をぱくぱくあえがせ、ひたいの縦皺をますますぎゅっとひきつらせると、

「死ぬよ……死のう……でも、もう少し待ってくれ」

とたんに、私は興ざめ、さあっとのぼせがひいてゆき、何もかも馬鹿らしくなりました。

そのころ、亮吉は、貞淑で申し分ないかしこい奥さんに、まだ私のことはかくしていたのでした。ふだん、口ぐせみたいに死にたがってるふりをしながら、私に死を誘われた瞬間、うちのこと、奥さんのこと、かわいい一人娘のことが頭いっぱいにひろがってきたにちがいないのです。

「いやよ。うそよ。亮吉なんかと死んでやるもんか。亮吉の子つくってやるんだ。亮吉の子おなかにいれていっしょに死んでやるんだ」

私はヒステリーの発作がおこったように目を吊りあげ、わなわな全身でふるえながら、自分でもびっくりするほど狂暴な馬鹿力を出して、あっけにとられた亮吉の上にのしかかっていきました。

「ナミ、ナミ」

亮吉は私の異様な見幕に、ぎょっとしたらしく、これもまたふだんには想像の出来ない馬鹿力で私をはねのけました。ふとんの上に起き直った亮吉は、まだあばれつづける私の手足をぎゅうぎゅうおさえつけてしまいました。

「いやだっ、はなしてっ。はなせ。亮吉の子つくってやるんだ」

亮吉は私の細い肩をわしづかみにすると、無理矢理、私を起き直らせ、がくん、がくん、首が抜けるかと思うほどゆさぶりつづけます。

その亮吉は、まだ私の部屋では自分用の寝まきを持たず、大がらな、あざみのうきたつ私のゆかたを着て、赤と水色たづなのだて締めを締めさせられているのです。興奮がしずまるにつれ、私の涙でいっぱいの目に、そんな亮吉の珍妙なかっこうが、無性におかしく映ってきました。私はいつのまにやら、泣き声のかわりに、息がとまりそうなほど、むせび笑いをしつづけているのでした。こんなおかしなかっこうの男の、こどもなんて生めるものではない——泣き笑いの中で私は自分につぶやいていました。

もしかしたら、亮吉に、こどもがほしいなど、とてつもないことを考えつかせたのは、あの夜の私の、狂気がきっかけなのではあるまいかと、私はこっそり、後悔もしています。

その後も亮吉は、相かわらず、一向にうだつが上る様子もなく、することなすこと、へまばかりで、ばねじかけの首ふり人形みたいに、自分の家と、私の部屋を二時間半も電車にゆられ、往ったり来たりしています。

そうしてまた、私はそんな亮吉との、みじかい別れに、いつまでたっても馴れることの出来ぬ自分に腹を立てながら、やっぱり、のこのこ東京駅まで送ってゆかずにはいられないのでした。

亮吉の電車が動きだすのと同時に、くるりと、背をむけ、雑踏にまぎれこむのが、せめてもの私の自尊心の名残りなのでしょうか。

そんなある日の別れのあと、私は駅前のデパートの人群れに混っていました。エレベーターで無目的に運ばれている時、私ははじめて、このデパートで、M寺の宝物展が開催中なのを知りました。

長い見物人の列に加わり、亮吉の後を追う自分の心から目をそむけたくて、私はのろのろ、さして興味もない虫の喰った経文や、仏像の絵姿などの前を通りすぎていました。

その時、出口に近い窓際に立った立像に何気なく目をひかれていったのです。

五十糎《センチ》ばかりの木彫のその女神像は、極彩色に色どられています。吉祥天女風のはでやかな衣裳をつけ、白紅色の豊頰の、ゆるく笑った表情は、写実的なあまり、ひどくみだらがましい印象をあたえました。女神像というよりも、それは情欲の匂いのする一個の女とみえるのです。じだらくに下げた右手の端に吉祥果《ざくろ》をつまみ、あいた左手で不器用にまるはだかのこどもを抱きあげていました。ひっくりかえされた獣のような形で、両手と両足を天にあげたこどもは、物いいたげに、女神の豊かな胸の上から、じっとその顔を仰ぎみています。けれども、女神の眼差は、そのこどもにはそそがれていず、どことも知れぬ空間に、茫漠《ぼうばく》と見開かれているのでした。

その眼のはるかな表情だけが、女神像の安っぽい豊満な肉体から浮び上っています。

訶利帝母《かりていも》――女神像の足元の木札に、墨色鮮かな四文字がおどっていました。その後にこまごまとつづく鬼子母神縁起よりも、私は女神の眼だけに、しだいに捕えられてゆくようなのです。胡粉の中に墨をいれただけの、なつめ形の木像の眼がその時、不意に、いきいきと、またたいたのを、私は見たと、思いました。

亮吉の子をいだいた、安心と不本意のいりまじった自分の眼の色をみせられたのでしょうか。

いいえ、この眼の見ているものを、私だけは知っているのだ――。いつか、私はゆるく唇をあけかすかに頬をゆるめているようでした。その像と同じ笑いに。

女子大生・曲愛玲

ノックなしで、「アヤコさん」と呼ぶさし迫った早口を、山村みねの声だと聞き、いそいでドアをあけた。私は息をのんだ。みねの胸の中に、曲愛玲《チユイアイリン》が青ざめて目を閉じ、ぐったり気を失ったように、倒れかかっていた。いつもは靴の先で乱暴にドアを蹴りたて、二人の訪れを知らせる陽気な愛玲なのだ。

「どうかなすって？　曲《チユイ》さん」

「ベッド貸してね、貧血なのよ」

山村みねの目が、ひどく真剣に、まばたきひとつせず、愛玲の頭ごしに私の顔をみつめてきた。この人の目は緊張すると、どうしてこんなに四角くみえるのかしら、やっぱり整形手術のせいかもしれない。そんな不しつけな想いが、ふっと私をとらえたのにひどくあわて、私はどぎまぎ手を貸そうという身ぶりに出た。

「いいの」

山村みねは、抗《あらが》いがたい威厳のある一声で私を拒《こば》み、勝手知った私たちの寝室の方へ、まっすぐ運んでゆく。

みねの腕の中で、愛玲はひびの入った壺のように頼りなくかたむき、おぼつかなげに足元を乱した。みねはそんな愛玲を、それ以上やさしくは扱えまいというふうな心をこめたやり方で、そうっとベッドに寝かせた。愛玲の皮膚のように、身を締めつけた中国服の首や胸を手早くゆるめ、ま新しい茶革の靴をぬがせると、まめまめしく枕を足の下にあてがった。そうしながら、絶えず、あやすように訴えるように、聞きとりにくい低い中国語を囁きつづけている。愛玲はものうそうに、細い眉をよせたり、わずかに首をふるばかりであった。

やがて、自分もベッドの裾に腰をおろすと、みねは、どんなかすかな表情もみのがすまいとするように、愛玲の顔にじいっと目をそそぎ、毛布の外になげだした愛玲の白い掌《て》をとって、自分の大きな両の掌の中に、いとしそうにはさみこんだ。北京でただ一人の、女教授の肩書をもつ三十ミスの女丈夫《じょじょうふ》には、およそ似つかわしくない献身と愛にあふれた、やさしげなふるまいであった。

私はわけもなく頬があつくなり、足音をしのばせてその場をはなれた。

「眠ったわ」

まもなく山村みねは寝室から現われると、ソファーに沈みこむように身を埋めた。両のこめかみを、目立って長い指でもみはじめたみねの顔が、急にふけてみえた。

「今、堕《お》ろしてきたばかりなの」

べつだん低めた声でもなく、みねがものうそうにその言葉をはきだした時、私は反射的にベッドの方へ首をのばした。しかし、愛玲には、こんな日本語は通じない筈だった。

「愛玲はね、私に内緒で、中国人の変な医者にかかって大変だったの。出血がひどくって、死ぬんじゃないかと、昨夜からあたし、一睡もしてないわ。日本人の医者にやり直してもらってきたところなのよ。洋車《ヤンチョ》の上で貧血をおこしたから、よらせてもらったの」

返事のしようがなく、私はみねが器用にライターの火を点ける煙草の先をみつめていた。

曲愛玲は、私より一つ下の二十一歳で、まだ師範大学の学生であり、山村みねの教え子であった。みねと愛玲が、西単《シータン》のみねの家に、阿媽《アーマ》を一人つかって同棲していることは、夫の建作に連れられて訪問したこともあって承知していたけれど、愛玲に子を宿らせるような男の恋人のいることは初耳であった。

結婚して北京へ渡り、まだ半年あまりしかたたぬ私にとって、山村みねの率直すぎることばの内容は、ひどく刺激が強い。

「曲《チュイ》は仕様のない不良ですよ」

みねの声が突然、興奮にぶるぶる震えてきたので、私はおもわず急須をとり落しそうになった。けれども、みねは私をみていたわけではなかった。テーブルの向うにあてもなく視線をさまよわせたまま、ほとんど、放心のさまで、なかば独り言をいっていたのだ。

「淫蕩《いんとう》な女なのよ。毎晩何もしないでは眠れない女……」

私は驚愕して、山村みねの顔をうかがった。広すぎる額、高い鼻、そぎとったような引きしまった両の頬、一文字の薄い唇——女らしさに乏しいみねの顔の、そこだけ際だってコケティッシュな、手術で二重にした人工の瞼に、涙がみるみるもり上り、今にもあふれ落ちそうになっていた。

「愛玲はね、あたしを苦しめているという自覚なしでは、生きていられないんだわ……そうとしか……そうとしか……」

みねは首すじでぷっつりと剪《き》りそろえた頭をかかえこみ、テーブルにうつぶしていった。しんとなった部屋の中に、ベッドの方から、おだやかな愛玲の寝息が、羽毛のそよぎのように、やわらかく、かすかに、もれてきた。

私はこれまで、二人をひとりずつではみたことがなかった。いつの場合にも、みねのいる所には、影のように愛玲がよりそっていた。

全身が骨ばって、筋肉質の男のように引きしまったみねと並ぶと、愛玲のふっくらと肉づいたからだの曲線がめだった。顔も胸も腰も手足も、女らしさにぬめぬめと、白い脂肪が光っている感じであった。茶色っぽい長い髪が、肩いっぱいに波うっていた。一重瞼のはれぼったい細く切れた目が、いつも濡れているようで、肉の厚い唇が始終ゆるく開かれているのが、曲愛玲をすきだらけの女にみせた。たいそう赤い舌の先で、ちろちろと下唇をなめまわす癖がめだった。

贅沢《ぜいたく》ずきの山村みねが、リスの毛皮を着れば、曲愛玲はアストラカンを、みねがオメガの時計をつければ、愛玲は白金台の翡翠《ひすい》の指輪をというふうに、すべてが同格に扱われていた。もちろん、それらの支出は、すべてみねの懐からでている。山村みねは師範大学教授の収入のほかに、亡父の遺産の株の配当で、すでに内地ではのぞみがたくなっていた贅沢のかぎりを北京でつくしていた。

人並以上に大柄なふたりの女が、豪華な身なりでよりそって歩いているのをみれば、曲愛玲がまだ師範大学の一学生にすぎないなど、誰一人気づきそうもなかった。私にしても、愛玲がみねに見出される以前は、師範大学でも授業料滞納組で、やせて蒼白く、一向にめだたない学生だったと、建作に聞かされても、そんな愛玲を想像することも出来ないのであった。

その夜、帰宅した建作は、愛玲とみねの来訪のてんまつを私から聞きとると、にやにや笑いをもらしながら、

「曲は相かわらず、こりないとみえるね。これで二度めなんだよ」

と、ふたたび私を驚かせた。

「だって、曲さんは、山村さんと……」

そのことを聞かせたのも建作であった筈だ。

「そりゃ、そうさ。でも愛玲は、先天的に淫蕩な女じゃないのかな。あのふたりだってね、今じゃ器具を使わないと愛玲が承知しないそうだよ」

「そんなこと」

「山村さんが、泣いてこぼしてた」

「いやだわ。そんなことあなたにいうの」

「どうせ、つづきっこない仲さ。愛玲は男をそそるものがありすぎるよ。俺だって愛玲と二人でおかれたら自信ないね」

それから数日の後、東長安街で、私は曲愛玲に偶然行きあった。藍木綿の中国服を着た学生らしい若い男女が数人、小鳥のさえずりのように聞える早口の北京語で、傍若無人にしゃべりながら歩いてくる。女は藍木綿の下に、縞や花模様の思い思いのもう一枚の中国服を重ね着し、スリットから、その派手な色彩をちらつかせている。男は衿をわざと折りかえし、真白に洗いあげた下着のハイネックを、ワイシャツのカラーのようにのぞかせている。それが北京の大学生の間で、共通のおしゃれとして流行っている風俗であった。彼等のどの顔も、若さに輝き、被占領下の学生という宿命の暗さなどみじんもとどめてはいない。通行人が、足をとめてみかえるほど、あたりかまわず、すきとおった高い笑い声をまきちらしている一行の中に、私は曲愛玲の姿をみとめたのだ。

今日の愛玲は、長い髪をおさげに編みおろし、化粧っ気がなく、あの手術後のせいか、琥珀《こはく》色《いろ》の頰がすっきりと輝き、藍木綿のブルウが、どの色よりも似合いそうなすがすがしさだった。みちがえるような愛玲の清潔な姿に、私は思わず足をとめた。

愛玲の目が、その時、明らかに私の顔の上にとまった。まあ、もうそんなに元気になったの、といいたい想いで、私が笑いかけようとした瞬間、愛玲はつっと、目をそらせ、前よりももっと、高い声で、となりの背の高い男の学生に話しかけ、身をよじるようにして甲高い笑い声をあげた。他の学生たちは、通りすがりの日本人の女などに無関心で、誰一人、曲愛玲と私の間の、一瞬の出逢いに気づいた者はなかった。

私はひどく、心を傷つけられ、顔色の変るのを意識しながら、一刻も早くその場から遠ざかろうとした。曲愛玲が、白昼の大道で、全く私を無視したという事実が、意外であり、その冷淡さが、一歩一歩と、愛玲との距離が遠ざかるにつれ、私の中に深さをましてくる。しかも、彼等は、山村みねや、私の夫の学生たちではなかったか。私の胸にうずまくどす黒い屈辱に追討ちをかけるように、はるかな後方から、愛玲たち一行の笑い声が、またどっと、ばか陽気にたちかえってきた。

その夜ふけであった。

私たちのドアを叩く者があった。靴先で三度ずつ、調子をとって蹴る行儀の悪いノックのしかたは、曲愛玲のほかにはなかった。顔色をかえ、私は立ち上った。昼間の出来事は、何となく夫にも話しそびれていた。

ドアの外には、やはり山村みねが、愛玲の肩を抱くようなかたちでよりそい、にこやかに立っていた。

「コンバンハ、オクサアン」

愛玲はけろりとした顔で、下手な日本語をつかいながら、もう部屋の中に入っていた。目のさめるような瑠璃色《るりいろ》に光る絹の中国服が、灯の下でつややかにきらめいた。イヴニングのように足首までつつんだ裾長の中国服は、愛玲が動く度、微妙なからだの線を、はっとするほどあらわに描きだす。

「この間はどうも——今夜はお礼参上よ」

私の好きな栄華斉の点心をさしだす山村みねの笑顔の目のふちは、どす黒く隈《くま》をつくって、頬が白っぽくかわいていた。

愛玲は、いつのまにか建作の椅子の前のテーブルに、刺繍のついたきゃしゃな中国靴の片脚をのせていた。膝まで切れた中国服のスリットから、下着に飾りつけた幅広の豪華な絹レースをつまみあげ、レースの値段の自慢など話している。商売女のように、計算しつくされた際《きわ》どいポーズ、少女のようなあどけない表情、声まで、京劇の女形のような裏声めいた甘ったれた発声をしていた。そそるものがある——といった建作のことばを思いうかべながら、私は怒りもわすれて、愛玲の完璧な演技に目をみはっていた。

山村みねも、ついこの間、この部屋で涙をこぼし、頭をかきむしってもだえたことなど、信じがたい尊大さで、愛玲と建作の、かけあい漫才のような冗談のとばしあいに、優雅な微笑をむけている。

中国語を使う時の建作は、操り人形が人形師の手に動かされる時のように、急に目や顔の表情と、からだのジェスチュアが大きくなり、いきいきとみえてくるのが普通であった。けれども今夜のように、ばか陽気にはしゃぐことは珍しいのではないか。私は誰からも、とりのこされ、裏切られたような気持で、いつのまにか、他人をみる目附で夫をながめていた。

「曲さんの相手の人って学生だったの」

その夜、ベッドの中で私は建作に話しかけていた。

「ちがうよ。山村女史の麻雀友達の、妻子のある金持さ」

いいながら建作は、話を打ちきろうという調子で、私をもとめてきた。建作の行為の中に、いつにない激しい高ぶりがあるのを、私は躯《からだ》で感じとった。曲愛玲との時間が、建作の血の中にもたらした興奮の名ごりなのかと、白けていく心で目をとじていった。

建作の寝息が聞えはじめても、私は変に頭が冴えて寝つかれそうもなかった。東長安街で逢った時の、素顔の愛玲の冷たい目つきと、今夜のコケティッシュな愛玲の甘い声の上に、ふと、二ヵ月ばかり前の、ある日の愛玲とみねの記憶が重なりあってくる。

いつものように、何の前ぶれもなく、ふらりと訪れたみねと愛玲が、顔をみるなり、

「お風呂くれない」

とねだった。

西単《シータン》のふたりの住いには風呂がなく、よく中国風呂に入りにいくらしかったが、その日に限り、めあてにしてきた東単《トンタン》の風呂が休みだというのだった。建作の独身時代から住みついている私達の飯店《ファンテン》は、飯店とは名ばかりで、家具附二部屋のアパートにすぎないのだけれど、バスルームだけは洋式で、各室についていた。

「どうぞ……いつでも……」

建作は留守であったし、女同士の気やすさから、私もすぐバスの用意にたちあがるのを、いいのよ、しっているからと、みねはさっさとバスルームに入り、湯の音をたてはじめた。

あとにもさきにも、私はその時ほどに長い女の湯浴《ゆあ》みをみたことはなかった。バスの中のふたりに留守を頼んで、買物に出かけ、半時間あまりたって帰ってきても、まだ、湯けむりのしたバスルームのドアはしめきったままであった。ひっそりと静まりかえり、居ないのかと耳をすますと、時々思いだしたように湯の音がした。

湯音のとだえた後は、バスルームはふたたび静まりかえり、何の気配も感じられない。

それから、夕餉《ゆうげ》の支度で、何十分かたったころ、かすかな、絶えいるような、ため息とも泣き声とも聞きわけにくい細い声が、バスルームから漏れた。

「アヤコさん、いる？」

みねの上ずった声がとんできた。

「ええ」

「ちょっと、手をかして」

バスルームのドアが内がわから押しあけられると、もうっとこもった湯気が、白煙の束のように部屋の外にあふれでてきた。

タオルを巻きつけただけのみねが、これもタオルで掩《おお》った愛玲の裸身を、軽々と胸にだきあげてあらわれた。手も足もだらりと垂らし、白い首をそりかえらせて、髪を床の方になびかせている愛玲の裸身は、それが見る目もあざやかなピンク色に変っていなければ、水死人のようにみえたであろう。気の転倒した私は、ベッドまでどうやって、愛玲を運び入れたかおぼえていない。

「お酒ない？　ブランデイか、ウィスキイ」

下戸の建作に、酒類の常備などあるわけがなかった。

「しょうがないわね。じゃ、コーヒー、うんと濃くして。それからシッカロールあったら出してちょうだい」

コーヒーがわく頃、愛玲はもうすっかり正気をとりもどしていた。愛玲のピンク色のからだにもベッドのシーツにも、シッカロールの匂いがたちまよっていた。マッサージをつづけていたらしいみねの額に、汗とシッカロールでこすりつけた白い跡が、横なぐりにのこっていた。

半時間ほど後、二人の女は、大柄なからだを支えあうようにして、屈託なげに出ていった。

建作よりわずか一つ年上の山村みねが、建作より三年も早く、外務省留学生に選ばれて渡燕《とえん》していた。そのまま、北京に居のこり、女でただ一人の教授として、学生たちからも信望を集めているのを、私は尊敬の念でながめていた。

内地の名のとおった総合雑誌に、「北京における女の教育の方向について」などという、堂々とした文章をのせているのをみたことも一度や二度ではなかった。北京の日本大使館や新民会から、顧問のような形で、建作などより、ずっと厚遇されているのを、見聞きしていた。それほど有能な山村みねともあろう者が、まるで小娘の愛玲に、奴隷のようにかしずいている……貧しかった愛玲を、阿媽《アマ》代りに使ってやってでも大学を卒業させようと、引きとったのだとの話を、私はその日以来、皮肉な気持なしで想い出すことができなかった。

みねにしろ建作にしろ、曲愛玲の仮面のいくつかにあざむかれ、まだその素顔をうかがいみたことはないのではないか。私がみたと思った長安大街での愛玲の顔も、一人が十は持っているという北京人の仮面の一つをみせられたにすぎないのかもしれなかった。愛玲にそのかされ、唯々諾々と二重瞼の手術をした女教授の心情に、私は軽い軽蔑とあわれみを感じはじめるようになった。

気がつくと、三ヵ月ばかり、山村みねと曲愛玲の訪れがとだえていた。北京の街は、連日猛々しい夏の太陽に炒りつけられ、乾ききっていた。そんなある日、配給物をとりに出かけた私は、三条胡同が崇文門大街へさしかかる入口のあたりで、黒山の人だかりに道をさえぎられた。北京の街頭では珍しいことではなく、たいてい人垣の輪の中では、洋車夫《ヤンチョフ》と客とか、紳士と商人風の男とかが、唾をとばして口論をしているか、華々しい摑みあいを演じていた。静かな屋敷町の胡同の入口などでは、正妻と妾の火花をちらす活劇など、常住みなれた北京名物の一つになっている。私は弥次馬たちの後ろをまわり、通りぬけようとして、思わず足をすくませてしまった。

「ひいーっ」

鋭い悲鳴をあげ、私の目の前の人垣の一角へ、からだごとぶっつけて転がってきたのが、曲愛玲だったのだ。

弥次馬は面白そうに、とりまいた輪を一まわりゆるめただけで、誰も悲鳴をあげて地上にぶっ倒れた若い女に手をかすものはない。闘鶏でもみているような、興味のつった顔つきでいる。

まるい人垣の中では、炎天に焼かれてわきたったアスファルトの上に、女乗りのきゃしゃな自転車が、ころがっていた。ハンドルが飴細工のようにねじ曲げられている。両手で顔をふせぎながら、必死に逃げまどう曲愛玲の、派手な黄色地のプリントの服は、脇どめの紐むすびが、ことごとくひきちぎられていた。腰まで白いスリップが、むきだしにされている。どんな格闘がつづいた後なのか、衿元から腹までひきさかれた中国服の下に、スリップの肩紐もちぎれてとび、まるい乳房が、ぷりっと、とびでている。腕と頬に、ひっかき傷のような血がにじみ、汗と涙で、べとべとの片頬は泥にまみれて、みるもむごたらしい姿だった。

愛玲をそんな目にあわせているのは、白麻の折目正しいズボンに、白ワイシャツをかがやかせた長身の青年であった。油で光る髪を、白すぎる額に乱れさせ、はあはあ、あえぎながら、瞋恚《しんい》の目をぎらつかせ、愛玲のすきをねらっていた。ぞっとするほど整った蒼白な美青年の、その顔に、私は見覚えがあった。

何ヵ月か前、建作と王府井《ワンフーチン》を歩いている時、向うから近づいて、鄭重《ていちょう》に挨拶をして行きすぎた背広姿の青年であった。整いすぎて、能面のような感じをうける稀有《けう》な美貌に、私はまちかねて建作に名を聞いたものだ。

「陳という男で、あれでもうちの大学の学生だよ。もっとも、ほとんど学校には出ず、年中ブローカーみたいなことをして歩きまわっているらしいがね」

陳青年と愛玲が、こうした仲だとは聞いたこともなかったが、愛玲の白昼の災難をみすてて立ちさることも出来ない。陳が歯ぎしりしながら、黒山の人々に説明するように、声高にののしる中国語は、私には聞きとれないが、「売女《ばいた》」とでも口ばしっているらしいのは、弥次馬たちの表情でも察せられた。

逃げようとして膝をつきながら、愛玲はどこを打ったのか、よろめいて立ち上れない。

「曲少姐《チユイシヤオジエ》」

私は夢中で人垣をかいくぐり、声をかけてしまった。愛玲はびくっと顔をあげ、すばやく私の顔をみつけると、あっと、目をみはる鮮かさで立ち上り、目の前の人をしゃにむに押しのけ私の腕を掴んだ。

「洋車《ヤンチヨ》」

愛玲の一声に、私は電気をかけられたように洋車をまねき、愛玲を押し上げると、自分もとびのっていた。あっけにとられている弥次馬の垣で、陳がまだ大声にわめきながら、地団駄ふんでいたが、追いかけてくる気配もなかった。

珍しく山村みねが、一人で訪ねてきた。

曲愛玲と陳青年の、街頭の一幕があってから一週間ばかりたっていた。派手なサングラスをはずすと、山村みねの顔には、憔悴のあとがいちじるしかった。

「曲はどう？　ひっかき傷はなおったの」

建作が、からかうように問いかけるのに、みねは生真面目な表情のまま、

「もう、あの子は、あたしの手におえないわ」

と、つぶやいた。

「今朝、陳が、花束やら、果物籠やら、ばかみたいに洋車につみこんで見舞いに来たら、けろっとして、迎えているの。阿媽もいれて麻雀しようといいだすじゃないの。あんまりばかばかしいから、大げんかして飛びだしてきたのよ」

「何の真似だったんだい。それじゃ、あの大立ち廻りは」

「ふん……愛玲の言い分はね、陳は、あんないい軀のくせして、インポテンツだっていうのよ。焼餅なんか焼く資格が全然ないっていうの。そのくせ、この春あたりから、しきりに、陳と遊び歩いてるし、アヤコさん、みたでしょう。この前つけてたプラチナの指輪も、女乗りの自転車も、陳に買わせたものなのよ」

愛玲は先天的に娼婦なのだと、山村みねは重いため息をもらした。

「そろそろ別れる潮時じゃないのかい、きみも」

みねと愛玲に向かっては、わざと、冗談と弥次ばかりとばしたがる日ごろの建作にしては、珍しく生真面目なことばのひびきがこもっていた。

「そうねえ……あたし、このごろ、ふっと思うことがあるのよ。あたしたち、結構、あの小娘のかけた罠《わな》にひっかかってるのじゃないかしらって……」

「疲れてるんだね。この休暇、内地へ帰ればよかったんだよ」

「食べる物もろくにないっていうじゃないの。今の内地の耐乏生活なんてまっぴらよ。北京が滅びたら、あたしも共に滅びるまでだわ」

「悲壮だね。暑さのせいで神経衰弱なんだよ。それよりきみも、結婚でも考えるんだね」

「何さ、その思い上った口調」

とつぜん、山村みねが席を蹴たてるような勢いで立ち上った。怒りがどす黒く面上にこもり、人工の目が際立って、四角にいきりたっていた。建作の顔には、照れかくしとも、媚《こび》ともとれる、あいまいな微笑が歪んだ。

「あたしはね、これでもね、あんたみたいな卑劣な精神で、中国の学生を喰い物にしてるんじゃないんですからね。知らないと思ったら大間違いだよ。あんたが、大使館に、学生を何人売ったか、あたしが知らないと思ってるの。あたしはね、これでも中国の学生への愛のために、あたしの青春を賭けたんだから――」

建作の面上に、笑いがこわばった。

「ばかっ。色きちがい。出ていけ」

「もう来ませんとも」

「学生への愛が聞いてあきれらあ。曲の色じかけにひっかかって堕落しただけじゃないか」

建作の罵声は、みねが力まかせに、後手にしめたドアの音にかきけされた。茫然と壁によりかかっている私の方へ、まっすぐ建作が進んで来た。私の顎に手をかけると、建作は照れかくしのように笑顔をつくった。

「あんな女と、うっかり結婚しないで助かったよ。危いときに曲が飛び出してきてくれたものさ」

はじめてのぞいた建作と、みねの過去であった。引きよせようとする建作の手に、私はいきなり、身ぶるいしながら噛みついていた。

それから一週間もたたないうちに、私たちは寝耳に水の、建作の現地召集令状を受取った。仕事が仕事なので、安心しきっていた為、何の心がまえも準備も持たず、五日しかない出発の日までを、ただ支度に忙殺された。

その忙しさの中に、曲愛玲が陳青年と相たずさえ、延安に走ったというニュースが、建作の応召以上に、私たちを驚かせた。

「曲少姐《チュイシャオジエ》は、どこか普通の人とちがっていましたもの」

そのニュースを伝えた色の黒い女子大生は、もうすでに、曲愛玲の追憶を、英雄視して塗りかえていた。

建作の見送りの客の中に、親しかった山村みねの姿のないことを、いぶかしがる友人もあった。

みねはついに現われなかった。


建作が征《い》って、一ヵ月目に、終戦になった。

北京の碧空には、連日、戦勝の祝賀の爆竹が鳴りはためき、凱旋《がいせん》アーチの華やかな大街には重慶軍の、若々しい誇りにみちた顔が、力強い靴音を響かせていた。

青天白日旗は、空にも屋根にも道路にもあふれ、小便臭い胡同の片すみの、屋台店の車にもはためいていた。

そんな屋台車の一つに、私はある日、山村みねの、肩のいかった背の高い後姿をみかけた。見おぼえのあるグレイのウールの中国服を着たみねは、一ふくろの焼餅《シャオピン》を買うと、それを長い指先につまんでぶらさげながら、ふらふらと歩きだした。

広い道路をへだてて見ている私に、みねは顔をむけながら気がつかなかった。二人の間の道いっぱいにカーキ色の軍服があふれ、勇ましい軍靴の響と軍楽隊が、凱旋軍の行進をかなでていった。

聖衣

潮《うしお》けい子は、プラットフォームの階段を上りきった。

けい子の目に、フォームの雑踏の中から、外国の尼僧が二人、くっきり際立って映ってきた。純白の糊《のり》の光る頭巾《ずきん》が、ぴんと、人々の頭上にぬきんでている。地を摺《す》りそうな黒衣は、堂々と裾拡がりに流れていた。その黒と白の鮮かさが、あたりのざわめきをはじきかえす。けい子には、どんな流行の色彩よりも、派手やかにみえた。

二人は足元に、大型の黒皮トランクを置き、雑踏の流れの中で立往生していた。薄桃色の顔を見合せては、しきりにうなずきあい、きょときょと、青い目を動かしている。

阿川陶造を見舞い、あの事を告げようと出かけるやさき、尼僧の黒衣に目をふさがれたということで、ふっと、けい子はあかくなった。逃げるように二人の傍《そば》をすりぬけながら、けい子はすばやく、フォームの両側に並んでいる電車を見分けていた。

左側の車が後発で空いているのを見ると、一瞬ためらった後、す早く飛び込みざま、スーツのお尻をつき出し、空席にすべりこんでいた。

通勤の朝夕に、馴れているそれだけの動作でも、今日のけい子は、激しく息切れがし、後頭部から、血がひいていく寒気を感じた。けい子は目を閉じ、青ざめていくのがわかる自分の頰を、奥歯を嚙んでひきしめた。

たちまち、となりも前も、空席のふさがる気配がする。けい子はようやく息をととのえ、目をひらいた。その時、反対側の後方のドアから、さっきの尼僧が二人、トランクをひきつけ、ゆうゆうと入ってくるのが目に映った。

二人がフォームで立往生していたのは、どちらの車に乗るべきか、わからなかったのだろう。

潮けい子は、自分より先にフォームに着いていながら、席のとれなかった二人に、少からず同情した。と、その瞬間だった。四つの碧い目が——正確にいえば、二つの青磁色の目と、二つの灰色の目が、けい子の目の上にまっすぐ止った。いきなり、二人は、申しあわせたように、一直線にけい子目ざして進んで来た。ひどく揃った歩調で、黒衣の裾が、たふたふとゆらめいた。

けい子はふたたび、顔の皮膚の下で、血がひいていくのがわかり、必死に息をつめた。息をつめて、顔を紅潮させておかなければ、車内中の人の目が、じぶんに注がれ、血の気のない顔色から、あの秘密を一目で見ぬかれてしまうかもしれない。

二列の座席はふさがっても、通路はまだ、がらんとしていた。その中で、黒い小山がゆらめくような、大きい尼僧たちの行動は、ひどく際だってみえた。何故、この二人は、わざわざじぶんを選んで進んで来たのだろう。ずいぶん離れた距離なのに、選りに選って、自分の真前に、立ちふさがらねばならないのだろう。

けい子のおさまったばかりの胸の動悸《どうき》が高なり、脇の下にじっとり脂汗が滲みだしてくるのがわかった。

私はネラわれた――。

心の中で叫んでみた。が、けい子の胸の中では、意外な言葉がはきだされた。がらんどうの胸の中で、その声はけい子の胸壁に反響し、いくつものこだまになって、うなった。

私はエラばれた――。

けい子はひどくあわてた。ここが、電車の中であるのも忘れ、べそをかきそうに唇の端が歪んできた。

ネラわれたが、エラばれたにすり変ったことが、けい子に自信を失わせ、不安と混乱に陥れた。じぶんの冥《くら》いからだの中から、血みどろの肉のかけらを、ひき裂き、掻《か》き出したあの時、じぶんの知らないじぶんの中の、物を考える、何か貴重な組織のひとつが、冷たい鉗子《かんし》の先にひっかかり、ひきずり出されなかったと、だれが保証出来ようか。

潮けい子は、じぶんの物を考える脳の組織が、狭い頭蓋骨の中から、もっと、広々とした安定感で押し開いている骨盤の中に、移行してしまっているような、奇妙な錯覚にとらわれた。

そういえば、昨夜だって、馴れたアパートの階段を、危く、ふみはずし、二段目から、まっさかさまに、堕ちかけた。からっぽになった頭の中の、運動神経を頼っていたばかりに。食欲も睡気も、一週間前の、あの寒々した曇天の午後からは、脊椎に近い腰部の、あの箇処から命令されているような気がする。頭には古綿のようなものが、かすかすつまっている鈍い感じであった。

ぴっちり引きしまったタイトスカートと、コルセットに鎧《よろ》われた円《まろ》やかな腰の奥に、けい子はおずおず目を凝らす。その目が、いつのまにか、阿川陶造の、ぞっとするような、不気味な目つきに変っていた。軽蔑と、うすら笑いをこめた阿川の冷たい目つきが、生々しい鮮度でよみがえり、けい子のからだの芯を、一本の痛い針になって走っていった。

あの人が、あんな目であたしを見るなんて、許されないことだ、許されないことだ——しゃくりあげそうなのを、必死にこらえた幼児の、りきんだ顔つきで、けい子はしきりにくりかえした。けれども、誰が阿川を許さないのか、わからなかった。けい子じしんでないことだけはたしかだ。

潮けい子は、いつの場合も、男にむかっては、許しを請う立場の方が、性にあう気がする。はじめて、けい子の女を支配した亡夫の洋一の時に、その習慣はつけられていた。三年前死んだ洋一は、外ではひどく愛想がいいのに、内入りの悪い男だった。癇癪《かんしゃく》持ちで、けい子の茶碗の洗い方が悪いといってはどなり、掃除がゆきとどかないといってはなぐった。あんまり些細《ささい》な事で、突然に憤り出すので、けい子ははじめのうち、何を怒られているのか納得いかず、ぽかんとしている。けれど、頭や背に、洋一の激しいこぶしが降りかかってくると、なぐられる痛みの中から、何かしら、じぶんが大へんな失策をしでかし、当然の折檻《せっかん》を受けているような、奇妙な倒錯した心理になるらしかった。

「ごめんなさい、ごめんなさい、もうしません」

ひいひい泣いて、一途な調子であやまるけい子の声を、ドアや壁ごしに聞くアパートの他人たちは、ほんとうにけい子がまぬけで、寛大な洋一を怒らせてばかりいるのだろうと思わずにいられなかった。

色が白く小柄なけい子は、人目にたつ華やかさはなかったけれど、二十をすぎても幼児のような柔かな頰の線をしていた。目も眉も唇《くち》もとも、柔和に、古都の寺にのこされている弥勒《みろく》を想い出させる優しさだった。心も顔付に似て、おっとりと素直な人柄なので、だれからも好かれた。

苦学をして中学の教師になった洋一は、まだ司法試験をねらっていた。その一事のため、精力の消耗を惜しみ、柔かく甘い妻のからだに触れるのを、極度に抑制していた。つんもりした肩先や、小柄なりに、細腰のくびれた妻の裸の愛らしさを、発見するたび、洋一は目をそむけ、埋めあわせのように、お前は馬鹿だとののしった。洋一と二年暮す間に、もともと、じぶんをりこうだと思っていなかったけい子は、すっかりじぶんを人並外れて頭の悪い女だと信じこんでいった。

そんな夫婦の間にも、けい子が妊娠したことがあった。おずおず、それをつげられた時、洋一は久しぶりで抱きしめていたけい子のからだをつき放し、癇ばしった声でなじった。

「そんな筈ないじゃないか、え、この通り、生理日表に従って注意したんだ。科学的にだよ、科学的に。きみの表のつけ方がでたらめでなきゃ、あり得ないよ、そんな事は」

何々式という避妊法を楯にとって、まくしたてられ、あげくの果て、いいかげんな付録のついた婦人雑誌を購読したといって、けい子の愚劣さの罵倒となり、お決りの大荒れが始まった。

けい子じしんも、水中で手さぐりするような、もどかしい感覚の行為に、まだ何の歓びもしらないなかで芽生えている生命に、実感が湧かなかった。愛情などは尚更で、恥しさだけに目をつむれば、洋一が同僚から聞いてきた、産婦人科医の門をくぐるのは、案外けろりとできた。

老練だと紹介されていた医者の処置は、てきぱきしていた。

「はい、声に出して、数を数えて……」

麻酔注射のあと、うながされて、

「ひい、ふう、みい……」

八つまではじぶんの声を覚えていたが、その後、ひきこまれる深い眠りの中に、すべてが終っていた。何の苦痛も感じなかった。その日から、胸のつかえが軽くなり、けい子はせいせいした。

けれども、今度は違っていた。

阿川陶造の子は、洋一の子の時とは、すべてが違っていた。

三日前の、骨が鳴りたわみそうな、荒々しい激痛が、全身によみがえってくる。一度めの、麻酔をかけた手術の後、何日たっても、下腹部が鈍い痛みでひきつり、おりものがへらないので、不安になって訴えに行った。けい子と同じ年ぐらいに見える化粧の濃い若い女医は、こともなげに、再びあのいやな椅子の上にけい子を押しあげた。「少し残っていたんですね。痛みがわからないと、やりにくいんですよ。すぐすみます。今日のお代はいりませんからね」

一人で、いうだけのことをいうと、すぐ仕事にとりかかった。今度こそ、けい子は、じぶんの中から、生きたいのちが、ひきはがされ、けずりとられていくせつない音を聞いた。冥い胎内にしがみつこうとして必死に抵抗する、いのちの死にもの狂いのあばれ方が、この劇甚の痛みになって、じぶんをさいなむのだと、けい子は堪えきれず、呻《うめ》き声をあげた。何度も、痛みの極に失神しそうになる瞬間、けい子は恥も忘れ、

——阿川さん——

と絶叫した。それはのどにからんで、声にはならなかった。けれど、けい子は、声にならないじぶんの切ない声が、こだまになって、下半身をひきむかれて恥しい姿勢をとらされている惨めなじぶんを包み、痛みと恥をなだめてくれる気がした。阿川さん……何とも他人行儀なよび方で、救いを求めたものだろう。これ以上のよび方を、けい子はこれまで、阿川陶造に対してしたことがなかったし、考えもしなかった。

それでも、あの子は、あの人の子どもだった——。ふたたび、阿川の冷笑をこめた意地悪な目つきを思いだすと、けい子は目の裏にかあっと火花がちり、視野が熱く滲んできた。

目の前いっぱいに拡がった、尼僧の黒衣が、湿った目にかすみ、厚い頼もしい手ざわりのいい壁のように見えてくる。

埃《ほこり》のかげもとどめていない、こっくりしたカシミヤの黒の深い色が、けい子のささくれた感情の波をおしなだめ、深い吐息を、吸い取ってくれるようになつかしかった。豊かに流れる黒衣の襞《ひだ》に、甘えかかりたいあたたかさがあった。

けい子は持ちまえの、おっとりしたおだやかな表情になり、目の前に並んでいるボタンに、ぼんやりみとれはじめた。

黒衣の中央に、行儀よく一列に並んだ小さなボタンは、黒の繻子《しゆす》でくるまれていた。けい子の右膝の先にあたる一箇だけ、ボタンの繻子が三ミリほどすりへり、中から木ボタンの黄色い肌が、ちろと、のぞいている。

けい子の右どなりにいる、茶色の背広の男の前に立ったもう一人の黒衣には、同じ大きさのねりもののボタンが、ずらりと並んでいる。くるみボタンの黒衣と、ねりものボタンの黒衣とは、どっちが先に作られたのだろう。けい子は思わず、ひょいと顔をあげて、二人の尼僧を仰いでしまった。すると、まっすぐじぶんに注がれている碧い瞳にぶっつかった。

ねりものボタンの、やや背の小さい方の尼僧であった。糊の輝いている頭巾から、卵型にのぞいているピンク色の顔がゆるみ、碧い瞳が、すばやくけい子の目を捕えて、おどけたような笑いかたをした。金色のまつげが、数がよめるくらい、一本一本ぴんとそりかえり、その端に雫《しずく》のように陽光がたまっていた。おだやかな細い眉も金色、頭巾の中にかくされた髪も、たぶん、みごとなブロンドなのだろう。外人にしては小さめな鼻の尖《さき》が、心持ち、上にしゃくれているのが愛らしく、口紅のついていない唇は、褪《あ》せた珊瑚《さんご》色《いろ》で、清潔に見えた。若々しい魅力的な素顔だった。

けい子の目の前の尼僧は、背が高く、灰色の静かな瞳が、大まかな造作の派手な顔立ちを引きしめている。気品のある典型的な美人だ。けい子には、顔だけ見たのでは、その二人が何国人か見当もつかなかった。小さな方は、スクリーンでみるパリのお針子によくある型にも見えるし、背の高い女は、そのまま背の開いた夜会服でも着せれば、イギリスの社交界におしだしても、似つかわしくみえてくる。

二人とも、黒衣の胸に重そうな銀の十字架をさげ、手には同じように粗末な布製の袋をさげている。袋の中には、二冊の分厚い黒い本が入っていた。聖書と讃美歌ででもあろうか。何から何まで清らかずくめの二人の姿からは、聖処女とか、童貞女とかいう言葉が、素直に連想される。けい子は、映りすぎる鏡の前に立たされた時に覚えるあの一種の気おくれと、気恥しさに捕われ、目を伏せていった。

すると、けい子の目の前に、尼僧の手がつきだされていた。トンビのような裁ち方《たちかた》らしい黒衣の間から、下に着こんだ白いフランネルの、おどろくほど広い袖口があらわれていて、そこから、桃色のがんじょうな手がつき出ている。

肌理《きめ》の粗い手の甲には、毛穴がぶつぶつ数えられる大きさで、長いこわそうな金色の毛が生えている。あんまり間近でまじまじ眺めた異国人の手は、動物じみて、けい子には気味が悪かった。小さい方の女の手でさえ、けい子のとは、肌理の荒さや、うぶ毛の生えぐあいなど、くらべようもなかった。

その巨きな手だけをながめていると、二人の尼僧には性がないような気がしてきた。

　プラットフォームで二人を見た瞬間から、いわれもない圧迫感にしばられていたのが、ふっと解かれ、けい子は巨きな桃色の手を、もっとまじまじうち眺めた。

　この手が、あの美しい顔につながる躰《からだ》についているのが、不思議に思えてくる。国籍もわからないように、二つのむきだしにされた素顔からは、けい子には年齢の想像もつきかねる。まして、この不気味な手。この骨っぽい、性を感じさせない桃色の巨きな手も、長い節くれた指も、かつて一度も、欲情でこわばった男の掌に摑まれ、導かれて、男の熱い湿っぽいからだを探らされたことはないのだろうか。この指の一本一本を、情感をこめてしごかれ、この爪のひとつびとつを、優しく嚙まれ、愛撫されたことはないのだろうか。

　上質のカシミヤの黒衣と、暖かそうなフランネルの白衣に、潔《きよ》らかそうに包まれている尼僧の裸身は、やはり、この手とおなじに肌理あらく、金色の毛に掩われて、性を失いかけている桃色の肉塊なのだろうか。

　電車がゆれ、不意に黒衣の中の脚が、力強く、潮けい子の膝に押しつけられてきた。がっしりと、男の逞《たくま》しさのある脚の力だった。

今度は、灰色の目が、薄茶のまつげをまたたかせ、親しみをこめて笑いかける。まともに陽を浴びた灰色の瞳に表情が走ると、猫の目のきらめき方をした。

けい子は、じぶんの胸の中に、たった今、湧いていた想念のいやらしさをみとがめられたのかと、どぎまぎした。

やっぱり、じぶんは、洋一が言い暮していたように、頭が鈍く、阿川陶造の目が痛烈に語ったように、並外れて淫蕩な生まれつきなのかもしれない。けい子の目に、絶望的な、もの哀しい翳がさした。

尼さんどころではない。あたしは瀕死の病人を訪ねていくのだ。もしかしたら、もう死んでいるかもしれない男。半年の間、密かに愛しあった男。いや、あれは愛ではない。愛には、もっと、きらきらした、まぶしい輝きにみちたものがあるのだろう。死にかけている阿川陶造だけではなかった。洋一の死後、じぶんに近づき、このからだの中に押し入り、この胸の上であえぎ、この口に唾液を流しこんでいった男たちの、だれとの間に、きらびやかな愛があったといえるだろう。

けい子は、まだじぶんに注がれているかもしれない尼僧の瞳から、じぶんを遮断するため、しっかりと目を閉ざした。

夫の洋一が、二年つづけて試験に失敗した後、オートバイにはねられたのがもとで、あっけない死に方をしてしまうと、潮けい子の表情に、思いがけない瑞々《みずみず》しさがよみがえった。洋一の死は、けい子の頭上から、目に見えない重い錘を取り除き、けい子は久しぶりに、空が一尋《ひとひろ》も高くなったように仰げた。

もともと、みなし子にちかいほど、身よりが薄かったので、そのまま、洋一と暮したアパートの部屋に住みついた。洋一がアルバイトにしていた神田の教科書出版S社の佐伯《さえき》が、その会社の事務員の口を持ってきてくれた。

出かけてみると、改築してビルディング風に建てた入口に、必要となった受付の仕事だった。旧制の女学校を出ただけで、何の特技もないけい子には、かっこうの仕事であった。

おだやかな風貌と、起伏のない性質が、ガラス張りの中におかれたけい子を、静かな人形のようにみせる。

誰よりも早く行き、磨きこんだガラスの中に坐っていると、次々あらわれる社員の、一人一人のその日の心の明暗が、ひとりでに読みとれるほどになってきた。悲しみや、悩みや悔に、傷《いた》めつけられた惨めな顔をみつけると、けい子はガラスばりの中から、両手をさしのべ、慰めの声をかけたい人なつかしい想いにゆさぶられる。腰を浮かせるのだが、言葉をかわしたこともない人へ、何といってよいかわからない。胸に溢れる共感や同情を、ただ、おだやかな目を心もち大きくひらいて相手をみつめ、口もとをやわらげて、あらわすだけであった。

そんなけい子は、誰からも好かれ可愛がられた。再婚話を本気で持ちかけてくれる上役も何人かいた。その度、けい子はあいまいな微笑を浮かべた。

「まだ……その気になりませんの。今こうさせていただいているのが、今までで一という幸福だった気がいたします」

けい子の誇張のない心境にちがいなかった。幼い時から伯父の家に引きとられて育てられ、洋一と結婚したけい子には、ぬくぬくした好意にとりまかれ、女一人が暮すことのできる今の境遇ほど、自由で快適な生活を知らなかった。

再婚の話に必ずでる、有能な人物とか、成績優秀、頭のきれる男とか、生活力のある努力家などに、けい子は何の魅力も感じなかった。頭がよく、口やかましい、努力家で有能な、洋一という夫の重苦しさから、ようやく解き放されたのだ。陽の当る大道を、自信にみち、人を押しのけ濶歩《かっぽ》している人間は、けい子にはまぶしすぎて、こわかった。

そんなある日、水からひきあげられたような、しょげきった佐伯を見た。

「佐伯さん、どうしたの」

けい子には珍しいせきこんだ調子で、ガラスばりからとびだすと、佐伯の肩に手をおかんばかりに、立ちふさがった。

会社の帰り、けい子は、呑み歩く佐伯の後について、新宿の横町から横町へ引きまわされた。病みつきの競輪で、著者に払う小切手を三枚ばかり使いこんでしまい、どう収拾のつけようもなくなったと、佐伯は打ちあけた。

酔って正体のない佐伯を、呑み屋や屋台に残して帰ることが、けい子には傷ましくてできなかった。洋一は酒を呑まなかったので、けい子には、泥酔した男が病人としか思えなかった。じぶんのアパートの階段を、ひきずりあげる時も、声を出して励まし、周囲への気がねなど忘れきっていた。

明け方、佐伯は目を覚まし、けい子をみた。追いつめられた獣のような、おびえきった表情のまま、佐伯が取りすがってきた。

じぶんの上で、しだいに生色をとりもどし、和んでいく男の表情をみとどけたとき、けい子のうちの奥深いところで、かつてしらなかったおおらかなものが鳴りわたる気がした。それはパイプオルガンに似て、幅広く柔かいゆるやかな波動で波うちながら、快くゆすぶり、余韻をのこしている音であった。

佐伯はその日かぎり、会社にはあらわれなかった。病妻をあずけてある九州の妻の里へ飛んだとの噂がたつころ、うるさく訪れていた方々《ほうぼう》の呑み屋の催促も、ぱったりとだえた。

けい子は今までと、何の変りもない、おだやかな表情で、ガラスばりの中に坐っていた。佐伯との事は、暁方の浅い眠りにみた夢のようだった。客のとだえた午後のひとときなど、けい子はふっと、じぶんのからだの中に、あのおおらかなオルガンの音を、聴きすます目つきをする。けれど、そんな密かなくせも、いつのまにか忘れていった。

「アノ、スミマシェンガ、シンジクマデ、エキ、イクツアリマシュカ」

歌うような抑揚のついた異邦人の日本語に、けい子は、はっと目をあげた。小柄な尼僧が、ななめ前から、まっすぐけい子の顔をみつめ、碧い目の中には、さっきよりも、もっといきいきした笑いを湛えていた。けい子の答えをうながすふうに、頭巾の小首をかしげている。電車は水道橋で止っていた。

けい子は真赤になって、もじもじからだを動かした。

東京、神田、お茶ノ水……これから先の駅を数えればいいのに、あわてて、すぎてきた駅名ばかりがうかんでくる。

それまで、わき目もふらずに週刊誌をひろげていた、となりの茶背広の男が、

「ええと――」

と、小さな声でつぶやき、右手の指を折りだした。けい子は救われ、じぶんも男の指に目をそそいだ。

男は六角の縁なしめがねをかけ、紳士然とした様子だった。口の中で、駅名をつぶやいては指を折り、最後に、いかにも確信にみちた様子でさっと顔をあげ、ペラペラッと英語をしゃべった。まわりの乗客が、いっせいに紳士の方をふりむいた。けい子には、男が何といっているのかさっぱりわからなかった。最後の、

「……セブン、モア」

という言葉だけが、耳にのこった。

「オオ、ナナアツ」

尼僧は、軽く肩をすくめてみせ、にっこり、けい子にむかって笑った。口をあけて笑うと、目尻に思いがけないほどたくさんのしわがあつまり、頬骨がつきでて、醜くなった。笑顔の悪い女であった。

尼僧はすぐ、目だけに微笑を湛えたさっきの愛らしい表情にもどり、男にむかって、

「メルシ」

と、上体をまげた。

電車はふたたび走りだした。けい子は顔の上に、尼僧の碧い目がいつまでもはりついている気がして、目を伏せていても、皮膚がこわばる想いがした。何だって、このフランス人の尼さんは、はじめから、わたしに目をつけたのだろう。さっきの、じぶんを目ざして進んでこられた愕《おどろ》きがまたかえってきた。けい子は、むやみに親密そうな目つきをおしつけてくる尼僧が、わけもなく腹だたしくなった。

結婚当初、洋一は、けい子が誰にでも笑いすぎるといって気難しく小言をいった。

——誰をみても、にやにや歯をみせるのは、日本人のだらしのないくせだ。だからすぐ、相手にばかにされる。西洋人や中国人は、上流の者ほどめったに笑顔などみせないものだ……。——

まるで外国帰りのように、自信にみちた口調であった。けい子に皮肉な苦笑がわきかける——。じぶんの顔さえみれば、待ちかまえて、にやにやしたがるこの西洋人の女をみせたら、洋一は何というだろう。けい子は、尼僧のえたいの知れない好意の磁気がわずらわしく、しだいにいらいらして、わざとらしく、目をつむった。尼僧の微笑が、なぜこんなに心にひっかかるのか、けい子にはわけがわからなかった。

けい子には天国が考えられない。死ねば、何もなくなると、骨のずいから信じこんでいた。幼時に死んだ両親の、魂など、あり得よう筈がないのを、けい子の生きてきた二十八年の実感が、確信させるのだ。洋一の突然の死は、けい子にとって、洋一のすべてが、消え、無になったのを意味し、あれほどの、のびのびした解放感を覚えたのだ。

佐伯とのことも、けい子は死んだ洋一に悪いとは思えなかった。炭酸ガスと水になって無に帰した洋一に、すまながる何もない。人間のつくった道徳も、左側通行が右側通行にきりかえられるように、いつでも勝手に、都合よく変更される。生きていく頼りにするものも、信じられる不変のものも何もないと思い定めてから、けい子は虫けらと変らない人間の惨めさと哀しさが、骨身に沁《し》みた。

妻に裏ぎられた男、胃癌を自覚した男、昇給に取りのこされた男、一人子に脳膜炎の後遺症が残った男……打ちのめされた顔で、頭髪をかきむしったり、男泣きの涙で目を光らせながら、けい子に、我身のぐちをかきくどいていった男たちの顔を、けい子はぼんやり思いうかべる……。口下手なけい子は、どの場合も、ろくに相づちもうたなかった。ただ、男のぐちやため息を、からだじゅうが海綿のように、全身で吸いとっていた。男は、じぶんの嘆きの根が、すっかりけい子に吸いとられ、じぶんの内がからっぽになると、ぼってりとうるおい、重さをましたけい子に、倒れかかり、とりすがってきた。

　性の歓びは、けい子にとって、いつまでたっても、あの幅広い、とらえがたい風に似たオルガンの音のようなものであった。男がじぶんの上でうごめき、嘆きを忘れ、恍惚と虚脱するのを感じる時、けい子はじぶんが、まんまんとふくれ上った、ゆたかな海になった想いがする。男も、男の性のつらさも、小さな片帆の小舟になって、じぶんの波の上に安心しきって浮かんでいた。

　じぶんの髪の尖《さき》、爪のはしにまで、みちわたってきて、じぶんを充足させてくれるものは、何なのだろう。ひとりでに目をとざし、うっとりと息をとめてしまいたくなる和やかさは、何がもたらしてくれるのだろう。

けい子は、このいいあらわし難いもどかしい平和な心地を、阿川陶造に訴えてみたことがあった。

「あんたには、もともと、母性型のところがあるんだよ」

　阿川はいつでも断定的なもののいい方をした。

　潮けい子は、じぶんよりも十七も年上のこの中年の男から、確信をもって語られる言葉をきくのが好きであった。母性型といわれたので、けい子はかえってあかくなった。

会社のトイレに入っていた時、それと知らないタイピストが二人、化粧直しをしながら語っていた言葉が思いだされた。

「潮さんがねえ……人って、みかけによらないものね」

「あんなタイプの美人に娼婦型が多いんだってよ」

「あら、あの人、美人かしら」

アパートの主婦たちの目つきの変ってきたのにも、けい子は気づいていた。まだ洋一の生きていたころ、一番奥の部屋にいたダンサーで二号の女のことを、けい子に噂しながら、女の部屋をうかがっていた主婦たちの目つきが、そっくり、今はじぶんにむけられていた。

「だって、あたし、主人のこどもおろしたことあったわ、へいきだったわ」

けい子は、阿川に母性型といわれたのが、迷惑そうないい方をした。何かに恥しかった。阿川は、くせの、うす笑いをうかべた顔付をして、下着に手をのばしかけるけい子をもう一度ひきよせた。

阿川陶造と逢うことが重なるうちに、けい子には、じぶんが海に化してしまう、あのありがたい平和な気持が、しだいになくなってきた。とつぜん、狂いだした海の一角が、激しいうずしおを巻きその渦にのまれ、果てしもない海の底へひき沈められていくめまいを味わった。うずにまかれ、ガラスの壁のようにきらめく波の底へきりきり、堕ちていくめまいは、けい子のこれまで知らなかった恍惚の世界だった。が、覚めたあと、地獄をのぞいたような、不気味な怖さと、精も根も果てたおびただしい疲労がのこされた。

阿川は気長にけい子をならし、けい子を導き、けい子を覚めた女にしたてあげた。ようやく、けい子は阿川を怖れはじめた。その時は、阿川の子がじぶんのなかに生きはじめたのを知った。

もともと、阿川は、けい子のそれまでの男とはちがう現われ方をしてきた。けい子を通じて、社長の秘書で愛人である、清水由紀子に近づくのが目的だった。喫茶店にけい子を誘い出した日に、その事をあからさまに話した。S社との取引をむすびたいのが、紙屋の阿川の最終目的なのだ。

身だしなみがよく、かっぷくのある阿川は、けい子の心に訴えてくる、何の惨めさも哀れさも持ちあわせていなかった。いわば、じぶんとは無縁の人種の阿川に、けい子ははじめから警戒を忘れていた。由紀子と社長の秘密の使いに、口の固いけい子が、何度か役立っていることまで、どこでしらべたのか、阿川は知っていた。それだけではなかった。

けい子の骨折りで、由紀子にわたりがついた阿川が、お礼心だといって、けい子を夕食に誘った。

阿川は、けい子のあどけないような顔を正面からみすえて、ずばりといった。

「潮さん、人が好《よ》すぎるのも、じまんにならんですよ。まちがっても会社の男だけは、相手にしなさんなよ」

けい子がコーヒーのスプーンを取り落しそうに青ざめるのをみて、阿川はまだつづけた。

「佐伯ってばかな男が、高飛びする前、一週間ばかり、東京にひそんでいたの、知らないでしょう。借りられるだけ、友達から借り倒して行ったんですよ。話のついでに、あんたがいい肴だったよ。知ってますか――あんたの前では、かわいそうな男に思われればいいんだという、定評があるのを、ね」

けい子は乾いた目をまじまじ見開き、ふるえだした。

その夜、気がつくと、けい子は阿川の肩に頭をあずけて寝ていた。

「ここ、どこ」

「新宿の裏」

ベニヤ板の壁に、赤っぽいカーテン、部屋いっぱいになったベッドと三つ組セット。きかなくても、どんなところにいるかわかった。

「何もしなかったよ。あんたが動けなくなったんだ」

銀座のレストランからキャバレーにいって、バーにいって……新宿の焼きとりキャバレーも、呑み屋も、バーも……うろ覚えの店がつぎつぎ頭に浮かんでは消えた。めちゃめちゃのちゃんぽん呑みをした頭は、石がつまったように重く、ぎしぎし痛んでいる。起き上りかけると、胸がむかついた。

「無理だよ。とめてもきかなかったんだ。顔にでないもので、つい、気がつかなかったよ。朝までやすんでおいで」

「阿川さんは」

「私は……帰る」

阿川のあげた腕の時計が二時ちかくをさしていた。

けい子の肩をおさえて、阿川がのろのろ起き上った。ひどく緩慢な動作で、ベッドの外へ出た。ぎょっとして、けい子は夢中で枕元のスイッチをひねった。

「血が！　血が！」

明るくきりかえられたあかりに照らされ、阿川の着たごばん縞のゆかたの腰に、べっとり鮮血が滲んでいた。

「弱ったな」

落着いた阿川の声に、けい子はよけいぎょっとした。その顔をみあげて、あやうく声をあげそうになった。

「あ、あなた、まっ青よ」

「痔《じ》だ。このごろひどいんだ」

ぐあいの悪そうな渋面になり、阿川は、汚れたズボン下の上に、新しい背広とズボンをつけた。貧血で青ざめ、めがねをとった阿川の顔は、老けがどっと目立ち、頬がこけてみえた。けい子はきゅうに気おちがして、ベッドに倒れこんだ。

「お医者さんにはかかってるの」

「もちろんさ。きらなきゃいけないんだ。閑《ひま》と、一ヵ月寝る金がなくてね」

一分のすきもなく、金のかかった服装に身をつつんだ阿川の言葉にしては、おかしい筈なのに、ここは安っぽいホテルの淫靡《いんび》な匂いのする部屋であった。血に汚れた阿川が青ざめ、つぶやくのが、けい子には、何のうたがいもなく心に沁みてきた。

阿川はべっ甲ぶちのめがねをかけ、いくらか常の阿川らしくなった。顔を近づけ、けい子の目をのぞきこんだ。

「ほら、また……あんたの同情病がおこってきたよ」

けい子は、顎にかけられた男の手に、しがみついた。

「お願い、今夜、そばにいて……帰らないで」

あとで、すべてがわかってみると、阿川の実状は、予想以上の惨憺たるものだった。数年前、扱っている紙の八割まで注ぎこんだ出版社がつぶれ、共倒れに倒された。以来、阿川紙業株式会社とは、名刺の上の名ばかりで、他人の紙をめあての危い橋を渡っているブローカーにすぎない。

荻窪にあった相当な家邸もとられ、今は三鷹の外れのぼろアパート住いであった。O製紙に勤めている男と組んで、工場の紙を持ち出し、S社相手に、のるかそるかの勝負をかけたもくろみも、結局、今一歩のところで流れてしまった。

何をして、どう食いつないでいるのかと、プレスのきいた背広のポケットに百円札一枚もないのをみて、けい子はたまらなくなることがあった。阿川はあの夜から一言も泣き言を洩らさず、何か、義理を果すきちょうめんさで、けい子を訪れてきた。

けい子は電車やバスに乗っていて、通りすぎる町並の家のガラス戸などに、家伝妙薬と書かれた文字が、よく目にとまるようになった。阿川の病気は、その後、どうなっているのか、けい子はしらない。季節の変りめをすぎれば楽なのだと答える阿川の言葉に、そんなものなのかと、ただ、ため息をのみこむだけだ。

けい子とひとつになっている最中にも、阿川の顔には激した表情はあらわれない。阿川は動きのない目つきで、けい子の顔をみおろしながら、ああだろう、こうだろうと、けい子の中を通りすぎていく感覚の足あとを、たどってみせた。いつのまにか、けい子は、阿川が描いてみせる、不思議な官能の地図の上を旅しているじぶんに気がついていった。

けい子の子どもじみた、やわやわした頰の線が、いつかくっきりと際だってきた。

「ほら、こんなに肉がしまってきた」

けい子の白い股の肉を、指先につまみあげ、ぱっと離すしぐさをくりかえし、阿川がつぶやいたりした。

「このごろ、あんたの中のもう一つのあんたが、でてきたのを、知ってる?」

それだけはまだ、もとのまま変らない、おっとりした表情の顔をかしげて、けい子は困ったように口もとだけで笑いかえした。

阿川陶造が入院しているのを知ったのは、会社にきた紙屋どうしが、けい子のガラスばりの外で、話しているのを聞いたからだった。

「へえ、やっこさん、とうとう入院したのか」

「吉祥寺のC病院だってよ。何でもひどい手おくれだそうだ。こわいもんだな。あんな病いでもね」

けい子は、足の先から、すうっと冷たい風がのぼってくる気がした。不吉な予感という言葉を、妙にまじまじ、思いだした。

さして大きくない、路地の奥の外科病院で、阿川の名を告げると、下足番も、看護婦も、異様な目つきで、けい子をみた。

「大変な大手術でしたのよ。病院はじまって以来ですって。ええ、もう終りました。今病室へ移るところです」

一気にしゃべりたてる若い看護婦は、まだ、その大手術の興奮のなごりが覚めきらない、つりあがった目つきで、小走りに廊下の奥へかけだしていった。

「ひどい壊疽《えそ》でねえ、あんなのはじめて」

「エソ……痔じゃないんですか」

「痔の手術のあと、壊疽になったんですよ。あの、田之助のかかったやつでさあ」

下足番が教えてくれた。

けい子が廊下の曲り角まできた時、手術室からタンカがかつぎだされてくるのに出逢った。六人の看護婦にかつがれたタンカの上でめがねのない阿川がうつろな目を開いていた。目から頬へかけて墨色のくまが浮び、高い鼻がそげたようにそばだっていた。血の気がうせ、窪んでしまった広い額にも、不思議な暗さが層になってよどんでいた。死人の顔にみえた。

けい子はやっと、窓際に身をささえ、阿川の顔をみつめた。目があったと思った時、けい子は泣くとも笑うともわからない表情で、うなずいた。阿川の目は、けい子の顔を見すえながら、何の表情も示さなかった。

壊疽は左半身を這《は》いのぼり、もう少しで心臓まで達する所だったという。十一ヵ所もきり開き、小指大のふとさのゴム管を、各きり口に通して、膿を出しているのだと、興奮した声で、誰かに告げている女がいた。

「睾丸まですっかり犯されて、とったんです。本人はまだ知りません。壊疽ってことも知らせてないんです」

面長の眉の濃い、きつい美人だった。阿川の妻――けい子にはすぐわかった。治れば奇蹟だと、別の廊下で看護婦どうしが囁いていた。

けい子はそっと、阿川の病室にしのびこんだ。妻も見舞客も、手術の結果をききに院長を追っていて、病室には誰もいなかった。異常な臭気が鼻をついた。うす暗い北向の部屋は、壁も床もすすけて、わびしかった。十一ヵ所もきられ、ほうたいのだるまになった阿川は、鉄製の粗末なベッドに木偶《でく》の坊《ぼう》のように転がされていた。

「ちっとも知らなかったの」

けい子は、ベッドに近づいて囁いた。

「あたしよ、わかるの」

阿川のどんよりした瞳がかすかに動いた。生きている目ではなかった。この人は死ぬだろう――けい子の心は、不思議にさわがなかった。すばやく入口をふりかえると、もっと顔をよせて囁いた。

「赤ちゃんができたわ。今度しらせようと待ってたの」

阿川の顔がかすかにひきつった。のぞきこむけい子の目を、阿川の生気のない魚のような目が、まっすぐ射りつけた。その目に、けい子はつきとばされ、しりぞいた。阿川の目が笑っていたのだ。頰のひきつりも、阿川の笑いだったのだ。冷たい、皮肉と軽蔑をこめた、笑いの仮面の下から、聞きなれないくぐもった声がもれた。

「私とだけじゃなかったんだろう」

何時、病院を出たのか、けい子は覚えがなかった。

その帰り、駅の広告でみた吉祥寺の病院で、けい子は手術した。もともと阿川につげた後、こっそり、始末するつもりではいたが、日を決めていたわけではなかった。麻酔から覚めた時、阿川の病院と大差ないうす汚い待合室の畳の上に、けい子は薄い毛布をかけ、寝かされていた。洋一の子のときには感じなかった、奇妙な喪失感が、全身にけだるく流れているのを感じた。

阿川は生きているのだろうか。病院で逢った一週間前が、もう何ヵ月も前のような気がしてくる。二つの電車を選ぶ瞬間に、阿川の許へ急ぐ時間よりも、あれから三日しか経たないじぶんのからだをいたわった本能的な動作を、けい子はふっと思いかえした。生きていても、死んでいても、報《しら》せのくるじぶんではないのだ。あの子のいのちは、もしかしたら、阿川のこの世にいる間、かけらになってもわたしの中にしがみつこうとしていたのかもしれない。

死んでいてくれ——。

けい子はあっと、身をひきしめた。思わず叫んだじぶんの心の中の何かに、目をはじかれた想いがした。

電車がとまった。けい子は熱っぽくなった目をあげた。

しんじゅく——二人の尼僧が、けい子の方に身をかがめ、大きなトランクを持ちあげた。けい子をみて、にっこりうなずいた。

ココデスネ。尼僧の目の問いに、けい子はつりこまれてうなずいた。おだやかな微笑がじぶんの頬にうかんでいるのに、けい子は気がつかなかった。もまれながら、フォームに出た尼僧を、何かにひかされ、けい子はいそいでふりかえった。

大きい方の尼僧が、フォームの天井に下った時間表を、指さした。思いきり上げた右手に、黒衣のヨークがはね上げられ、くっきりと、白衣の腰があらわれた。そこに、ひとすじ、燃えるような緋色《ひいろ》の帯がしめられていた。けい子は思わず、窓ガラスに顔をつけた。黒と白とばかり思いこんでいた僧衣の中のくれない――十糎《センチ》ほどの幅のベルトの緋色は、尼僧にとって、何を象徴するのだろうか。

秋陽を吸いこんだたわわなカンナの花弁のような、透明な緋の色に、心を奪われているけい子へ、小さい尼僧がふっと、ふりかえり、もう一度、やさしく微笑した。日本ふうのおじぎをみせる尼僧をのこし、電車が、にぶく動きだした。

花芯

第一章

きみという女は、からだじゅうのホックが外れている感じだ——それが越智の口癖であった。それでいて、そういう私を、私のなかのなによりも愛している越智なのだ。電車や人ごみの中で、見もしらない男に、きまって着物の八つ口から手をさしこまれたり、スーツの腰を撫でられたりするのだけれど、私は蠅でも払うようにからだをちょっとゆするだけで、顔色も変えない。

皮膚までが、貞操感覚を欠如しているのだと、さすがの越智も興ざめた口調でなじる。皮膚の貞操感覚などという言葉は、聞いたこともないという目つきをすれば、きみだって、処女のときは、男が近づいたら、反射的に身を護ろうとして、皮膚がこわばっただろうと、したり顔をするのだった。

そうだったかしら、私は声にださないで、ぼんやり微笑する。生来無口な私は、男と逢っていても、ほとんどしゃべることがなかった。ことに相手が越智のばあいには、私はただ、にっと笑ったり、恍惚《こうこつ》と目を細めたり、ほんのすこし首をかしげたりするだけで、ことがたりた。越智は、じぶんの云いたいことよりも、私のしゃべりたい言葉のほうを、私よりも的確にしゃべってくれる。

越智は、二ヵ月に一度か、三ヵ月に一度しか、京都から上京して来ない。逢わない間の出来事を、あれもこれも知らせようと考えただけで、私はもう窒息しそうになる。すぎさった時間を埋める茫々《ぼうぼう》とした言葉の海にまきこまれ、溺《おぼ》れそうな胸苦しさに圧倒されてしまうのだ。

私は言葉もださずに目を細めると、毎夜逢っているひとにでもするように、越智の胸に無造作にじぶんの胸をなげかけていく。あとは、からだが言葉の役を果してくれた。

私の処女の時とは、どこで境界の一線をひけばよいのだろう。

終戦の翌年、数え年二十で雨宮と結婚するまで、私はたしかに生理的には処女にちがいなかった。けれども、そのとき、私はある意味で、もう男を知っていた。私の父と、雨宮の母はイトコどうしであった。雨宮は、私の市《まち》の高等学校へ入る前の年から、私のうちにひきとられ、私たちは兄弟のように暮していた。

昔、雨宮の母から私の母が、恋人を、つまり私の父を奪ったという、カビ臭い恋物語の仕上げとして、私の母は、雨宮と私を結びつけることを計画した。父は八方美人で、女にはからきしだらしがなく、うちでは母に頭が上らなかった。内心、雨宮を嫌いなくせに、母の策謀に反対するほどの、断乎たる理由もみつけることができなかった。私がまだ小学校六年の頃から、私と雨宮とは、いいなずけという、もうその頃でも骨董品じみた名で呼ばれていた。

色が白く、目鼻立ちが母親似に整っている雨宮は、一口に言って秀才型の美少年であった。父親に早く死なれ、女親育ちの一人っ子のせいか、行儀が好すぎるほどおとなしいのを、私の父は、子供らしくないとか、女々しいとかいって嫌っていた。父のそんな意見を聞く度、母はやっきになって雨宮をかばった。母の臆測によれば、父の、雨宮に対する偏見は、今もって、父が初恋のおしげさん（雨宮の母）を秘《ひそ》かに愛しているからだ――おしげさんの亡夫に対する嫉妬のとばっちりが、その忘れ形見たる雨宮にかけられているというのである。

私の母の、すべての現象に対するこういう持って廻った物事の判断の仕方は、自分を頭のいい女だと信じているところから発していた。小学校から女学校を通して一番を下ったことのないのが、人には語らない母の何よりの自慢であった。母が嫁入りに持って来た桐箪笥《きりだんす》の小引出しには、私と妹の蓉子の臍《へそ》の緒《お》といっしょに、母の女学校時代の全甲の成績簿が、繭色《まゆいろ》に変色したまま後生大事に保存されていた。私は、母も雨宮の母も、同じくらい嫌いだった。私の母は、父が女をつくる度、逆上、懊悩、心底地団駄ふんで口惜しがるくせに、顔はさりげなく苦しい微笑など浮べ、女のところへ父を送りだす。私はそんな、見えすいた母の貞女ぶりが、いやらしくて大嫌いなのだ。その上、これも昔、おしげさんを泣かせた罰が当っているのだなど、信じてもいないことを、さも殊勝気に口ばしったりする。

雨宮の母はまた、しょっちゅう、目先の変った新興宗教に凝り固っているような女だ。若後家を通し、一人息子を育てあげた間、操を守りぬいたのが、何よりの心の誉《ほま》れといった、自信たっぷりな態度であった。いっそ顔に勲章でもぶらさげたらいいのだ。実家の死に絶えてしまったおしげさんに向かって、私の母は、うちを里と思ってくれなどいい送り、おしげさんはまた、母への便りに、姉上さまなど、しらじらしく書いて寄こす。まるで、浄瑠璃もどきの偽物の友情を、負けず劣らず披瀝《ひれき》しあう二人の愚劣さが、私にはがまんならなかった。

父のオメカケの友奴という芸者の家へ、こっそり私が出入りするようになったのは、ひとつには、母の聖人ぶった鼻をあかしてやりたいという、子供っぽいいたずら気からであった。

私は父のまわりの女たちの中で、友奴に一番ひかれてしまった。父の世話は受けていても、純然たるオメカケ暮しは退屈だと称し、友奴はまだお座敷をつとめていた。養女を一人もち、かかえっ妓《こ》も二人おいていた。私の母より年上なのだけれど、気の張りのせいか、七つは若くみえた。

友奴は、私の母とちがい、父が浮気をすれば、前後も忘れ、胸倉にしがみついて責めたてるし、負けずに自分も、さっさと浮気した。友奴の家で、私は何度も父以外の男に出逢ったことがあった。指圧師を兼ねた霊媒術師とか、ダンス教師とか、呉服屋の番頭とか、その折々の男たちに、友奴は悪びれず、私を旦那のお嬢さんと、紹介した。男のことは、目下のあれよと、片目をつぶってみせ、からからと笑った。私が父に告げ口をしないことを信じきっていた。十六の年から旦那を持たされた友奴は、私の父の世話になるまでに、三人の父の違う子供を産んでいた。三人とも男だったので、一人も手許におかず養子に出していた。

あんまり友奴とうまが合うので、私はふと、じぶんは友奴の子ではないかしらなど勘ぐったことさえあった。父と友奴が揃っている時、冗談半分を装って、その話を持ち出してみて、二人の表情に浮ぶ反応をこっそり観察したりした。もちろん、私の妄想にすぎなかった。私はかえって軽い失望を感じた。

私にはそれほど、友奴の家の空気が性に合った。白粉臭い鏡台のまわりも、陽当りの悪い狭い台所も、隅々までなめたように掃除が行きとどいているくせに、自堕落に寝そべってもいい茶の間など、じぶんの家のどこよりもなつかしかった。

癇症《かんしよう》な友奴は、出の支度の時、決って苛立ち、手伝うかかえっ妓をどなりつけた。いつのまにか私は、誰よりも友奴の支度を手伝うのが上手《うま》くなっていた。気がきかず、万事スローモーションなくせに、そんな時、私はじぶんでも気味の悪いほど、友奴が衣裳をつける呼吸と、ぴったり一つになって息をすることができるのだった。

私が学校で、不良少女のレッテルをはられた原因の一つは、友奴の所へ出入りしていることが、教護連盟にみつかったためもあった。友奴の家から雛妓《おしやく》の変装をして、絶対禁じられていた映画館にも、私は始終出入りしていたのだ。

雨宮は、同じ家に住むようになると、毎日レターペーパー五、六枚のラブレターを書いて、私の机の引出しに入れておいた。私はそれをことごとく蓉子にみせた。女学校一年ごろから、いっぱしの文学少女きどりで、おませな蓉子は、手紙から一々、原典をあばきたてて、私を面白がらせてくれた。ジイド、チェホフ、ゲーテ等、外国の大文豪をはじめ、私など名もしらない、日本の作家の作品や書簡集に、その手紙の文章があるというのだ。自分の恋文がそんな風に解剖されているとは知らず、雨宮は、私への恋の手ほどきは、すべて、じぶんがしたのだと信じこんでいた。

女学校四年の夏だった。私は、母が買いためておいた仕立おろしの浴衣《ゆかた》を着、黄色の三尺帯を締めていた。その夕暮、はじめて、二階の雨宮の部屋で、彼が私を抱きすくめ、ぎこちなくキスを押しつけてきた。私が一文字に口を結んでいるのを勘ちがいして、勝手に感動し、目に涙まで浮べていた。

「何も知らないんだねえ園ちゃんは。恋人どうしのキスはこうするんだよ」

不器用な身のこなしで、雨宮は、貝のように合せている私の歯列を割ろうとした。私は力いっぱい相手の胸をつきのけ、逃げだしていた。雨宮は、私がしんから初心《うぶ》で、恥かしがったものと思っていた。私はただ、雨宮がいつも食べている生タマネギの口臭に、ヘキエキして逃げだしたにすぎなかった。雨宮はその頃、故郷の母のいいつけ通りに、回虫予防の目的とかで、毎夕生タマネギを齧《かじ》っていたのだ。私はもうその時、キスの美味しさを、充分味わっていたのだった。

女学校では、ほとんど授業らしい時間はなくなりかかっていた。工場へ作業にやらされるか、校内で、戦地むけの防寒下着を作るかに追われていた。労働の大きらいな私には、そんな毎日がゴウモンのようであった。白い真綿を、じぶんよりも大きなボール紙の型紙に、一枚一枚ひきのばし、チョッキの形にしあげていくのだ。こんな作業でも、私は人の半分も能率をあげることができなかった。決められた一日の枚数に達しない私は、居残りを命ぜられ、せめて七割までは仕上げないと帰してもらえなかった。作業主任は圧縮猫というあだ名の修身の教師だった。彼は作業に取りかかる前、全校生徒を体育館の板の間に正座させて、藤田東湖の詩を朗誦させた。精神統一を図る為、その間、目を閉じていなければいけなかった。

「てんちせいだいのきすいぜんとして……」

まわりからわきおこる声の中で、ひっそり目を閉じていると、私には友奴の二階の物干から眺めた光景が、瞼に浮び上ってくる。友奴の家の裏口は、花菱という料亭の奥庭に隣接していた。花菱の庭は庭木が茂り、友奴の物干を目かくししていたが、物干からは、花菱の池もそのそばにある稲荷《いなり》の赤い祠《ほこら》も、庭の彼方の離れ座敷も、手にとるように眺められた。

夏休み前のひどくむし暑い夜であった。友奴の家では一番涼しい物干にひとり出て、私は見るともなく、眼下の花菱の庭に目をやった。庭に面した十二畳ばかりの奥座敷に灯《ひ》が入って、縁側いっぱいあけ放してあるので、座敷の中の宴会の様が手にとるように見えた。一学期いっぱいで、急に故郷の町へ転任していくことになった、私の女学校の教頭の送別会だとすぐわかった。これまでにも私は、しばしば、そんな教師たちの宴会の模様を、この物干から眺めていたので、別に珍しい気もせず、薄物を着た芸者たちや、赤くなって胴間声をはり上げはじめた教師たちの酔態ぶりを見ていた。

部屋の中で、ついと、ピンク色の人影が立ち上った。日本髪の似合う、桃太郎という若い妓《こ》だ。ほてった頬を夜風にさますような身のこなしで、桃太郎は廊下にすべりだすと、すぐ庭下駄をはいて庭の池の方へ小走りに来る。桃太郎の後から開衿シャツのボタンをだらしなく外した小男がよろめきながら追って出た。ひたいの禿げ上った、顎のとがった逆三角形の顔は、圧縮猫だ。猫はまっ赤に酔った顔に小さな目をつり上げて、はだしのまま庭にとびおりた。座敷では能のない教頭がたったひとつの芸の、ポッポッポを唄わせられ、部屋じゅうの者が手拍子で景気をつけはじめていた。誰も、桃太郎と猫の行動に気がつかない。稲荷の赤鳥居の前で、桃太郎に追いついた圧縮猫は、いきなり、女の白い絽《ろ》の帯のおたいこをつかんで引き戻した。はずみでよろめいた桃太郎を、後ろから抱きすくめると、思いきり抜いた白い衿足に顔をおしつけていった。

「いやよ、しつこい」

おし殺した、それだけに怒りのこもった激しい口調の声が、真直ぐ、私のいる物干に上って来た。

「校長さんにいいつけてやるわよ」

猫の手が、桃太郎の胸にさしこまれようとした時、いきなり、桃太郎の右袖がひるがえった。ぱしっと、妙に鈍い平手打ちが決った。桃太郎が前後も忘れて猫をつきとばしていた。池のふちすれすれに、尻もちをついた圧縮猫の、こっけいな姿が目の下にあった。桃太郎は薄絽のピンク色の座敷着の裾をひきからげ、一散に座敷とは反対の玄関の方へ走り去っていった。


肩先に、おしつけられた手を感じて、私は目をあけた。すぐ横に圧縮猫の貧相な顔が私を見下していた。

「居ねむりをしてはいかん。朗々と、朗々と声をあげなさい」

黄色いしなびたような三角形の顔をみあげると、私は不用意にも笑いがこみあげて来そうになる。女になぐられ、池のふちで尻もちをついた様を、私に思いだされてい

 るとは知らず、猫は、小男特有の、はずみのついた歩き方で離れていった。

「はってはばんだのさくらとなり……」

五年来、心を病んだ妻へ、仕送りをつづけているという圧縮猫を、私はどういうわけか、他の生徒たちほどに毛嫌いはしていなかった。猫のつける私の修身の点が、学級主任のつける操行点とつりあわないほど、ずばぬけていいのが私にはおかしかった。ところがその日は、圧縮猫に呼びつけられて、徹底的に油をしぼられたのだ。私に甘い猫を見くびっていた私の目算は、すっかり外れたようだった。圧縮猫は、私の前の机を叩きつけ、どなりたてた。中学と商業の生徒が、私につけ文をし、私がだらしなく二つとも落したので、二人は護国神社の境内で決闘したというのだ。

「幸い、神主が騒ぎを聞きつけ取りおさえたから、大事にはいたらなかった。きみは、何と心得ているのだ」

私は思わず、くすりと笑いをもらしてしまった。女学生にもてるのが何より自慢の、色男ぶった中学の野球選手も、きざったらしく大嫌いだった。にきびだらけでひどい猪首《いくび》の、商業の柔道選手の方は、感覚的にもっと厭だった。私にとっては、全然、興味のない二人だけれど、少年たちの大時代な決闘場面は、想像しただけで何となくこっけい味があった。おまけに舞台が、桜の花吹雪の舞う護国神社の境内とは。

猫は、私の失笑にいっそう激憤し、私を許し難い図々しい態度だとどなりつけ、国賊だと、机を叩きつづけた。おかげで、その日は、いつものように七割では許されず、完全に一日の枚数を仕上げるまで帰さないと宣告された。せめて私が、不断、もう少しクラスメートに愛嬌のよい生徒なら、こんな時、作業をすけてくれる友だちの二人や三人はあるのだろうけれど、私は小さい時から、同性を本能的に嫌っていたし、無口なので、話しあうような友だちはひとりもなかった。生真面目な生徒たちには不良だとこわがられ、気のいい不良少女たちのグループからは、フランクでない私は陰険だとみなされ、仲間扱いはされていなかった。

二クラス上級生に、開校以来の秀才といわれる泉千加子がいた。彼女だけがどういうわけか、私に熱烈なSのラブレターをよこし、毎日、私の靴箱には、花やハンケチや、割烹《かっぽう》の時間につくったお菓子などが入っていた。髪が目立って多く色の蒼白いその秀才は、廊下のまがりかどや、階段の下の薄暗がりの中に、よく私を待ちぶせしていた。白眼の蒼ずんだ目を熱っぽくうるませて、じっと私をみつめた。

「ひどいかたねえ。とうとう、私を好きになってはくれなかったのね」

卒業式の日、答辞をよみあげたと同じ、一種甲高い声で、彼女は私をなじった。

「でも、いいわ、あなたは、ほかの誰も好きにはならないでいてくれたから……。いつか、あなたが、じぶん以外の人を愛するようになったら、私のことを思いだしてくれるような気がするの」

舞台のせりふのような彼女の言葉に、私はよく聞いていられないほど照れて、恥かしかった。

薄暗くなった教室で、私は真綿のチョッキの山にかこまれ、のろのろ手を動かしていた。

孤独は、そのころから、すでに私の皮膚であった。思いようによっては、雪のように光る白い真綿の谷あいで、ひとり、くったくもなく坐っているのは、私にはそれほどいやなことでもなかった。けれども、ただ坐ってばかりはいられない。真綿をチョッキの型にする労働の苦しさが、時間とともに骨身にこたえてきた。おなかの奥からわびしさがこみあげてくる。

寄宿生だった泉千加子のことをふっと思いだした。卒業してすぐ、寝ついてしまった彼女は、パスしていた女高師にも行かないまま、半年めの夏、病死していた。

やがて私は、ボール紙の型紙をなげとばし、真綿のチョッキを平らにつみかさねると、その上にふてくされて、のうのうと横になった。いつのまに眠ったのかしらない。ゆりおこされた時、私の顔の真上に、光の輪がさしつけられていた。光の向うの顔が、誰なのかわからなかったが、作業主任の猫ではないらしい。懐中電燈の光の輪が動いた。若い英語教師の畑中の驚いた顔が、光のそとにあった。作業主任は、とっくに私のことを忘れて帰ったらしい。宿直の畑中が、その教室のドアのあいているのを不審に思い入ってきたのであった。

もうすっかり夜になっていた。私は深い眠りのあとで疲れがとれ、そのための快さからか、無意識のまま、何気なく畑中の胸のほうに両手をさしのべた。私をひき起そうと、うつむきこんだ畑中の太い頸に、私は腕をまわしていた。私には初めてのキスが、雨の降ってくるような自然さで、私の半開きの唇に静かに落ちてきた。はじめて知った畑中の大きな唇は、ふっくらと弾力があり、その舌は、葡萄の実のようにやわらかく、甘美な律動で、私のなかにゆれていた。頬骨が出て、額のせまった畑中を、私はそれほど好きにはなれなかったけれど――。

それからの毎日、私たちは白い真綿の谷に埋り、気の遠くなるまでキスをむさぼった。畑中のキスは、しだいに顔じゅうにひろがり、首すじに移り、乳房へさまよってきた。

私たちは、逢って別れるまで、愛の言葉はかわさなかった。はじめから、言葉や目《ま》ざしで起ったものではなく、私たちのなかでは、皮膚と皮膚のこたえ合いだけで、すべてが語られていた。若い男の日常的な欲情と、少女の好奇心が、たまたまぶつかり、二つが一つになってうごめいたにすぎなかった。畑中もほかの教師とおなじに、私を不良少女古川園子として、認識していたのだ。私の無抵抗な従順さは、天性のコケットリーのせいだと思っていた。

畑中は堪えがたく、全身をふるわすことがあった。おとこのからだの動くのが、紺サージの私の制服ごしに、ぼんやり腹につたわってきた。畑中の欲情は、一度スイッチをひねれば、とめどもなくふきだすものらしかった。私にとって、愛撫は官能的に快かったけれど、その快さのなかを、ときどき白々しい風にふきこまれた。そんな空虚に落ちこむと、私は薄目をあけ、畑中のうしろの暗い壁に目をやった。時には欲情にまきこまれた男の顔の、醜く歪んだ口や目を盗み見た。

このような瞬間にかぎって、私は頭の奥のあたりで、ふっと清潔な恋がしたいと希《ねが》っているのだった。私には、じぶんが葩《はなびら》よりも薄い華奢《きゃしゃ》なガラスの壺のような気がしてくる。ガラスの壺を、こなごなの光る微粒子に握りつぶしてほしい。からだの芯がうずいてくる。握りつぶし、押しつぶすものは、私の恋でなくてはならなかった。

畑中とのことは、行為であって、恋ではなかった。畑中は声をあえがせて云うのだ。

「これ以上は、決して求めないよ。どんなに苦しくても何もしない。きみはきれいにしておかなければ……。きみを汚すことは、いけない。きみはまだ純潔なんだ」

私はふきだしそうになった。男の身勝手さ、畑中というこの男は軽率にも、私を愛していると錯覚しはじめたのだろうか。愛とはもっと透明な、炎のように掌に掬《すく》えないものではないだろうか。泉千加子の蒼白い顔が、畑中の胸に埋めている私の頭の中を横ぎっていく。畑中と、校長の姪で、色の黒い化学の教師との間に、縁談がすすんでいることは、すでに学校じゅうに知れわたっていた。

三ヵ月ほど、そのような日がつづいた後、畑中に召集がきた。畑中の応召をきいた瞬間、私はまるで天啓のように、この男は戦死するにちがいないと信じてしまった。

明日は畑中が郷里の連隊へ旅立つという前日、私ははじめて畑中が下宿する寺町のお寺の離れを訪れた。畑中との別れを、どのように行おうというのか、私の頭の中に、はっきりした形が描かれていたわけではなかった。それでいて、私はわが家の門を出たとたん、思いついて急いでひきかえすと、下着をことごとく清潔なものに変えて出直した。町外れにちかい寺町についた頃、星がきらめきをまし、夜空に満開の木蓮が白っぽく浮びあがっていた。

門を入ると、本堂をすず通りして、私は山際にむかっていると聞いた離れの方へ、あてずっぽうに進んでいった。中の島のある夜目にも広い池が見え、その向うの孟宗のしげみの横に、黄色い灯のにじんだ障子が浮びあがっていた。離れになっている畑中の部屋にちがいなかった。私は予定の行動のように、靴をぬぎすて左手にさげた。木綿の黒靴下をとおして、夜露にしめりはじめた苔の柔らかさがつたわってきた。孟宗の葉が、あるともみえない風にさやさや鳴っていた。息をしのんで、一歩一歩、黄色い障子に近づいていった時だった。おさえた女のすすり泣きの声をきいた。もう一足進んで、私は耳をすませた。障子の中からその声はまだつづいていた。

「死なないで帰って、死んではいや」

化学の女教師の声だった。醜い女にしばしば恵まれている、あのふっくらと甘やかな女らしい声を、この教師も持っていた。悲哀と激情が、ふだんよりなまめかしい艶と張りを加えていた。歌うような声が、すすり泣きの間になおもつづいた。

「いや、いやよ……このままいってしまうなんて……あんまりだわ……」

私はそのまま、からだの向きもかえず、一歩、一歩、後ずさりはじめた。暗い池の中に、ぴしっとはねる魚の音がした。苔の上で、私はゆっくり靴をはき、真直ぐ背をのばした。木蓮のほの白い花群をふり仰ぐと、大きな深呼吸をした。それから何気ない足どりで、仁王が護っている門を出た。その時、私は、さっきまでの私が、何を畑中に餞別《せんべつ》にしようとしていたか、はっきり思い当った。

私の予感通り、畑中は乗った船が魚雷に当り、大陸へ渡りつかぬうちに、東シナ海に沈んでいった。

最初のキス以来、雨宮の私に対する恋は、油をそそいだように燃えつのってきた。夏の休暇が終って、東京の大学へ帰らなければならない日が近づくほど、雨宮は目にみえて焦燥していった。キスを許したことだけで、もう私のすべてを所有したような気になっているらしい雨宮は、私の口から、愛の確証が聞きたくなったのだ。雨宮に対しても無口な上、私は徹底的に筆不精をきめこんできた。高等学校時代は一つ家にいてさえ手紙をよこした雨宮は、大学に入ってからも、週に二回は便りがあった。

『蓉ちゃんの便りによれば、お風邪だったそうですが……』

『蓉ちゃんの便りによれば、髪をきられたそうですが……』

筆まめな蓉子は、せっせと手紙を送るので、雨宮は、蓉子の手紙から私の日常を想像してきた。五度に一度は、私も雨宮にむかってレターペーパーを拡げてみるのだけれど、書き送る事件も想いも、さっぱり浮んで来なかった。雨宮の胸にある園子という一人の少女像は、私にもはっきり目に見えた。しかし、それは、私自身とは全く縁遠い少女だった。

雨宮が描き、雨宮が肉づけし、雨宮が育てあげた空想の園子だ。つつましやかで、おっとりして、何よりも第一に清純そのもので、年より少しおくれているかわいい少女——雨宮の前で、そんな少女になりすますのは簡単だった。ただ、ぼんやり坐っていれば、雨宮が私の外形の上に、勝手に夢をみてくれるのだから。けれども、手紙は嘘をむきだしてしまう。なつかしいとか、恋しいとか、雨宮の喜びそうな文字をいくつもいくつもレターペーパーに書きなぐり、私は文字のもつ非情さに、ぞっと鳥肌だってしまうのだ。かといって、雨宮を私はきらいなわけでもなかった。親のとり決めたいいなずけというアナクロのことばに、軽蔑と反感はいだいていても、雨宮との将来の結婚は、冬の後に春がめぐるような不変の軌道として、受けいれていた。あきらめ、などという湿った感じの気持はみじんもなく、もっと事務的な、日常的な取りきめの一つのように感じていた。もともと私は、内心ひそかに恋に憧れているくせに、結婚にはひどく現実的な観念を持っていた。蜜月とか新婚とかいう甘ったるい言葉の伝える内容を、とっくに信用していなかった。友奴の家からこっそりみにゆく映画の中でも、新婚の夫婦くらい痴呆的な表情に映っているものはないと感じていた。

私の父母の結婚生活だけを非難するわけではなく、私は私のまわりのどの夫婦をみても、心から美しいとか、うらやましいとか讃嘆の感情をいだいたことはなかった。二人のうちのどちらかが、あきらめているか、なげだしているかで、夫婦の絆がかろうじてつながっていた。二人とも満足しきった顔付の夫婦は、下手な漫才師のカップルをみているような胸の悪いものだった。

人間はどうしてだれも彼も結婚したがり、味気ない嘘でぬりかためた家庭の殻の中にとじこもりたがるのだろう。出来ることなら生涯、独身ですごせないものだろうかと、私は度々空想した。文学少女の蓉子は、私をリアリストで夢のない人間だと決めこんでいたが、私にも私なりの夢をみることもあったのだ。

小学校五、六年の頃、朝鮮の小学校へいって朝鮮人の子を教えたいという、奇妙な熱情にかられた。うちへ来る朝鮮人の廃品回収業者の、リヤカーの後おしをしてくる息子が、私と同年輩で王子のようにりりしい顔立ちの少年だった。私はその子をひそかに好きになったのが、夢想の原因らしい。

女学校に入って一、二年の間は、私は女探検家になって、アフリカで猛獣狩りをすることが、朝鮮行の熱情にとってかわっていた。何が原因だったか忘れた。真赤な皮のジャンパーを着こんで、腰にピストルの袋をさげた自分の勇ましい姿を、何度も描いて興奮した。そのころまた、修道院に一生入ってもいいなど、真剣に考えたりしてもいた。無言の行を強いられるのが、私には魅力があった。一日中黙っていてもいい事は、私には苦行ではなく、またとない自由の行使のように想像出来た。

これらの空想が、およそ私らしくなく人に受取られるのを、私自身が誰よりも知っていた。決して人に話したりはしなかった。まして、新婚の家のサロンの真中につける螺旋状の階段とか、ロココ調の煖炉とか、生れてくるはずの自分の子の名前とかを空想することが、ロマネスクな性格だと信じている蓉子にむかっては、尚のこと語ってみる気もしなかった。

雨宮は、私の心の中の自分の影を、必死になってのぞきこもうとした。けれども私の心の中にあるたくさんの扉を叩いて、その部屋をのぞいてみようとはしなかった。

「園ちゃんは、ぼくと結婚することに、何の不安も感じないの」

何度となくきかれる同じ問に、私はいつも同じそっけない調子で、

「ええ」

と答えるだけだった。

それでも、月見草の開いた河原とか、夕映えの空を背景にした雨宮の部屋の出窓とかで、私たちは恋人らしいポーズをとりあった。

「あんまり強くしないで。昨日、蓉ちゃんに、お姉さまの唇、紫色になってるじゃないのって、じろじろ見られちゃった」

雨宮の方が、開衿シャツの衿元からのぞく胸のあたりまで、真赤にした。雨宮は、私が一言も云わないのに、もうタマネギを齧る習慣を、ふっつり捨てさっていた。

越智が、雨宮と私との、離婚の原因になった男だということさえ、私はもうほとんど忘れかけている。

終戦の翌年、父が急に脳溢血で倒れたので、その枕元で、私は雨宮と祝言した。いいなずけの名におあつらえむきの結婚の仕方になった。私は父の居なくなる家で、気の合わない母や妹と暮すよりも、すでに東京で、H電線に就職していた雨宮と暮す方を選んだ。怠けものの私は、望ましい自由を得るためにでも、自活したりする積極的な努力からは、逃げだすのだった。

今ではもう、雨宮と夫婦であった歳月よりも、越智と関りをもつようになってからの時間の方が、倍近くも長くなっている。結局、私は越智とはいっしょにならなかったし、雨宮も私が出てから三年めに、やっと私の籍をぬいてくれた。雨宮はもともと、心の色が三原色しかないような人間だった。中間色という心の色彩は理解出来なかった。自分の善意のように、人も善意だと信じこめるので、いつでも陽気で明るかった。私の裏切りがあらわれるまで、人生はいいものだの一語で、すべてが解決されていたのだ。四年間の結婚生活の間中、私を自分でこうと信じている園子という人間以外に、考えてみたこともなかった。

初夜の時、私を抱きしめて囁いた。

「ぼくは童貞だよ。園ちゃんのために、守りとおしてきた。学生時代も、軍隊の時も、園ちゃんの顔を思いうかべると、守ることが出来たよ」

その言葉を実証するように、その夜、私たちの間は、長い時間をかけ、未遂に終ってしまった。

翌朝、寝不足の目を充血させながら、彼の声は明るかった。

「今時、ぼくたちみたいな純情な夫婦ってあるかな。昨夜の事は、世間に放送していい美談だね」

私は頬が熱くなって横をむいた。この恥かしさは雨宮が負うべきものだと、私の中の何かがつぶやいた。えたいのしれない屈辱感が全身に充ち、私はその朝、雨宮を憎んでさえいた。

畑中が応召したあと、私は三人の不良少年と、一人の肺病の青年とつきあっていた。銀狐団という、ものものしい名前をつけているくせに、たった三人しか仲間のいない軟派不良少年は、甘やかされて育った金持のムスコたちであった。小りす団とでも改名した方が似合しいほど、無邪気でかわいい少年たちだ。彼等は私を騎士のように守ってくれた。私を守ることが、目的のない銀狐団に、一つの目的を与えたので、ますます仲よく団結心を強めた。私は三人に同じ程度に、唇や愛撫を許していた。下町のお好み焼屋で、私たちは他愛もない話をさも意味ありげに交わしあい、だらだらと時間を費した。

三人は、週に一度、三流どころの私娼を買うのを得意にしていた。私の処女は、稀有な宝石でもあるように崇《あが》めてくれた。私が風邪をひいて一週間ばかり寝こんだ時、三人はお好み焼屋でとぐろを巻き、八割は作り話の、昨夜の戦果を自慢しあっていた。戦果は三人とも、国民服の刑事に連れ去られることになった。非国民だとの罰で、散々なぐられた末、一ヵ月の休学処分にあった。それぞれ町の名士であった親たちは、直ちに隣県の中学に転校させてしまい、けりがついた。私と彼等のつきあいも、それで終りになった。

肺病の青年は、父の友人の病院の患者だった。徴用のがれに、私がそこへ看護婦の名目で、遊び半分にいっていた時、識《し》り合った。肺病というのがこっけいな程、血色がよく、肥った小男であった。彼は自分の病勢が悪化しつづけていると信じこんでいた。検温にいって、熱がないというと、ひどく機嫌を悪くした。今日は顔色が悪いわ、つらそうねとでもいおうものなら、とびつくように、そうなんだ、やっぱりぼくはだめだねと、沈鬱な目つきをしてひじょうに饒舌《じようぜつ》になった。彼の声だけはよかった。力強いバスで、聞いていると、こっちのおなかの底にじいんと、声の波動が伝わるような魅力があった。ぼくはあなたに病気を感染させて殺してしまうかもしれないと、長いキスの後で頭をかきむしりベッドにのたうつ。その悲痛な身もだえのポーズが、自分自身とても気にいっているらしい。それ以上に私との仲を進めることは、肺病の自分の命とりになると堪えていた。

いつものように、きみを殺してしまうといいながら、キスをくりかえしていた彼は、突然、私の右手を摑むなり、毛布の中へひきこんだ。私の掌はいきなり、熱い鋼《はがね》のようなものを摑まされた。飛びすさった私の目は、はねのけた毛布の下の奇怪ないきものに吸いつけられた。

目の中が熱くなり、一瞬、私にはそのいきいきと活力にみちたいきものが、目や鼻や口をつけた醜怪な動物の顔にみえた。気がついた時、私は手術室に飛びこみ、水道の栓をいっぱいに開けはなち両の目を洗っていた。洗っても洗っても、目の中の熱さは消えず、グロテスクなあの顔が、なお執拗に追っかけてきた。

私の処女なんて、全く偶然に、結婚まで守られたにすぎない。雨宮との二日めの夜、私はようやく私の処女に別れることができた。それはあっけなくおかしな行為であった。

自分の上にいるこの男の、動物的なこっけいな身動きが、処女譲渡の儀式——女というものは、自分の目でさえ遂に確めることの出来ない、小さな薄い一枚の膜のため、死ぬまでの貞操を約束させられねばならないのだ。貞操って何だろう。女が財産の一つとして売買された時代の、足枷《あしかせ》の名残りではないのだろうか。

ある瞬間を堪えるため、閉じた瞼の裏にふと、思いがけない鮮かさで一つの暗い影が浮び上った……。

雨宮は、みごとにとおった型のいい鼻をまっすぐ天井にむけ眠っている。規則正しい力強い寝息につれて、私たちの華やかな夜具が上ったり下ったりする。こうして、これからどちらかが死ぬ日まで、私とこの男はひとつふとんの中に眠るのかと思うと、何ともいえない味気なさが喉元にこみあげてきた。私は床をぬけだして窓へよった。立ち上って歩くとからだのなかに、鈍い異物感がのこっていた。それが、もどかしいような、空虚な喪失感をよんだ。

うちの二階の十二畳の客間が、私たちのはじめての夜の部屋になっていた。

私は窓にもたれ半分焼け残った町をみおろした。

女の目のような形の月が、ぼんやり、屋根屋根を光らせていた。あの屋根の下でも、たったいま、じぶんと雨宮がしたような事が行われているのだろうか。月に照らされた地球の半球のすべての家々の中で――あんなこっけいで無慚《むざん》な姿をからみあわせ、虫のようにうごめきあっているのだろうか。突如一陣の突風が天の一角から湧き起り、一思いにあの黒い甍《いらか》の波を吹き飛ばしていったら……。

この時また私は、町の屋並の上空にあの黒い影が長々と横たわるのを見た。

私は友奴のうちの、白粉臭い二階で寝そべりながら友奴の養女の留美子と、厚い写真画集を繰っていたことがあった。将来芸者になるのを約束されている留美子は、まだ十になるかならないかのおかっぱの少女だった。白眼の蒼いほど冴えた、眉のせまった子どもであった。

「おねえちゃん、この中におかしなものがあるわよ」

留美子は内緒言のように云って、その写真帳をかかえてきた。葡萄色の革表紙に金文字で、ポンペイ遺跡写真集とあった。そんなおかどちがいの本が、どうして友奴の二階にあったのか今でも解《げ》せない。掘りおこされたポンペイの地下の、浴場や壁画が分厚なアート紙に印刷されてあった。

「これよ、ほら、ね」

もどかしそうに頁を繰っていた留美子が、声を弾ませていうのだ。真黒に朽ちたカヌーのような二本の細長いものが、頁一杯に横たわっている。よく見るとミイラのように黒光りするそれは、人の媾合《こうごう》の姿勢であった。一瞬の間に、死の灰に包みこまれ、何世紀も地下に眠りつづけていた男女なのだ。

「ねええ、おかしいでしょ」

くすっと、わざとらしい笑いをもらして、留美子が私の顔をみた。蒼白い白眼がいきいきとずるく光り、十にたりない子供の目とは思えなかった。その二人の姿はいつかやはり、この部屋の鏡台の引出しから発見した極彩色の絵とはちがい、奇妙にリアルな一つのものとなって、そこに横たわっていた。のばした脚や折り曲げた腕に、鑿《のみ》で荒っぽく削りとったように、でこぼこの筋肉がひからびたまま、まだくっついていた。写真には見えないのに、女のものも男のものも、そのまま乾葡萄のようにこちこちに乾き、たしかにまだそこにあるにちがいなかった。二人の体には一糸も残っていなかった。或いはその時、彼等は全裸であったのかもしれない。

　不思議に淫《みだ》らな感じはおこらない。男と女というぎりぎりで最少の結合単位が、そこに丸太棒のように無防備にころがされている。愛のなぐさめあいの行為の最中、地底に塗りこめられてしまった幸福ともいえる肉体のミイラ。遊客と娼妓かもしれない。新婚の初夜の若い二人かもしれない。夫の目を盗んで、きわどい逢瀬《おうせ》を抱きあった貴婦人と若い恋人であったかもしれない。人間のだれもが逃れることの出来ない行為の最中に、永遠の死に記念されてしまった二人なのだ。

「ねえ、これ、いけないことしてんでしょ」

　留美子は、鼻の上にしわをよせ目をそばめて笑った。

　私はだまって手をのばし、まだ笑いの浮んでいる留美子の唇のわきを、ぎゅっとつねりあげてやった。じぶんの目の光っているのがわかった。

雨宮の子を、私はすぐ妊娠した。

雨宮との夜は、機械的にそのことが繰返されていた。私にはただ、虚しい感じだけがのこった。じぶんを不感症ではないかと、私はこっそり怕《おそ》れていた。結婚前、ああした事はあったにしても、私はじぶんでじぶんを瀆《けが》すことは、まだ一度もなかった。快感も伴わないままに、悪阻《つわり》の苦痛に見舞われた。私の腹の中に、自分以外のいのちが生きはじめたことが、私には納得出来ない気持だった。おなかの中に子供を十ヵ月間も入れて育てた経験がなければ、女は女の哀しさがわかりはしない。たとえ好きな男の子供をみごもったにせよ、臨月近くには、お臍まで飛び出してくる醜悪な我身の裸を、真正面から真横から鏡に映したことのある女なら、じぶんが女に生れたのを呪いたくなるだろう。紫色の静脈がつっ走り禿げ山のようにぽんぽんに張ったおなかを見下した時、ひどく猥褻《わいせつ》なものが、そこに厚顔無恥に居坐っているようで、情けない思いがした。キリスト教はマリアに男のザーメンを借りずに孕《はら》ませるという、素朴なメルヘンを編み出したけれど、いっそ、キリストは卵の形で産み落されればよかったのだ。今のキリスト伝説では、女の業は救われはしない。

「こんなにみっともなくなっても、あなた、私を醜悪だと思わないの」

世の中の、父になったと聞かされた男の多くがするような仕種を、その時雨宮もしていた。私の裸の腹に耳をつけ胎児の心臓の音をきき、掌《てのひら》に胎児の動きを知ろうというのだ。

「馬鹿だなあ、母の姿って女の中で一番気高いものだよ」

「いや、そんな手垢のついたせりふなんか聞きたくない。あなたじしん、この私を、まだ美しいと感じているのって聞いてるのよ」

妊娠という生理の変化は、食物の嗜好を変え、匂いに敏感にする。私の場合、神経がとぎすまされるのは食物の匂いや味に対するより、人間の言葉の嘘やごまかしに対してのようであった。

その夕方、なじみの八百屋が、新鮮な桃を持ってきたので、近所の主婦たちが八百屋の引き車をとり囲んでいた。なかで、日頃から愛想がいいので評判の初老の主婦が、生後一ヵ月くらいの赤ん坊を抱いた若い主婦の胸を、のぞきこんでいった。

「まあ、かわいらしいこと、ママちゃんそっくりでちゅね。ほうら、雨宮さんごらんなさいな、この赤ちゃんのかわいいこと」

私が妊娠しているのを知っていてのお世辞だった。私はだまって目を凝《こ》らし、若い母の胸の赤ん坊をのぞきこんだ。しなびた女の赤ん坊は黄色く、額に年よりくさい横じわがより、歯のない口をばかのようにあけていた。何も答えない私に、初老の主婦は唄うような調子でたたみかけた。

「ね、かわいいでしょ」

「いいえ」

まわりがしんとなった。私は胃の腑からこみあげてくる苦酸っぱい吐気に口をおさえて、その場を飛びのいた。近所の女たちの私をみる目に、怯《おび》えたような翳《かげ》が走った。


悪阻はひどかった。食欲はあるのに、私は詩人も顔負けの、言語敏感症患者であった。人の言葉の嘘や醜さにいちいち噎返《むせかえ》り、食物を嘔吐してしまう。じぶんで何かしゃべろうとすれば、自分じしんの言葉がみつからず、私は溢れてくる想いに噎せ、吐くものもないせつない嘔吐を繰返す。目の中をからからに乾かし、口中を苦い胃液でねとつかせ、私はしだいに痩せ衰えていくのだった。悪阻とは意志もなく生みだされるいのちの、必死の抵抗なのかもしれない。

雨宮にもこの苦痛を分ってもらうことはできなかった。説明しても、日と共に極端に少なくなっていく語彙で語る言語恐怖症など、雨宮でなくとも理解できないのが当然であった。淋しかった。終日目を凝らせ、ただだまりこんで暮していた。

悪阻の時期がすぎても、私の無口は直らなかった。私は喋れない子を産むのではないかと秘かに怖れた。

お産は早期破水で、その上逆子のため、ひどい難産だった。ベッドの鉄柵にしがみつきながら、私は唇を嚙み破った。産れるまでに二度、失神状態におちいった。

子供はほとばしるような声で泣いた。柔和な院長がさっと顔を近づけ、

「一針よけい縫っておきましたよ」

と、さりげなく云った。私は意味がわからなかった。しばらくして、私はふっと赫《あか》くなった。横に寝かされた分別くさい寝顔の赤ん坊をながめると、この一握りのような肉塊が、昏《くら》い私のおなかの中で背をまるめ、膝に頭をよせうずくまっていた孤独な姿勢が目に浮ぶ。可愛さなどはなく、子供の生のその淋しさにいじらしい想いがつきあげてきた。

出産のあと、私はセックスの快感がどういうものか識った。それは粘膜の感応などの生ぬるいものではなく、子宮という内臓を震わせ、子宮そのものが押えきれないう

めき声をもらす劇甚な感覚であった。あれほど大きな胎児を十ヵ月もその中に抱いていながら、私はそれまでその内臓の存在を実感することができなかった。それなのに今、セックスの行為によって、私は、私の内臓が、生きて、いのちを持っているのを、ありありと感得した。それは私のうちで、もう一つの生をたゆみなく営んでいたのだ。雨宮は、ようやく私の愛情が濃《こま》やかになったのだと、例によって、有頂天であった。外側からは、平穏無事とみえる三年がすぎた。

その間、私の内部のもう一つのいのちは、凄《すさま》じい勢いで肥えふとり、ずっしりと量感を湛えていった。私のからだつきは変り、表情は煙ったようにあいまいになり、動作は、それまでにもましてスローモーションになった。

そのころから私は、電車や人ごみの中で、見しらぬ男から、度々触れられるようなことがあった。

雨宮は、会社では有能な社員らしかった。中元や歳暮の礼に訪れる上役の態度や、時たま、雨宮が連れて帰る下役の人たちの噂話や、雨宮に対する言葉つきで、私にもそれが察せられた。もともと、雨宮は、学生時代は秀才で、教授達から学校にのこることを奨められた方だった。本人も、自分の生真面目で融通の利かない性質を知っていて、実社会に飛び出していくより、学究の生活を続けたいと希っていた。

「園ちゃん、きみは、ぼくが貧乏な科学者になってもついてきてくれるかしら」

私は雨宮から、何度となくこんな言葉を聞いた。

「ええ、いいわ。奥さん稼業って、本質は同じものじゃないの。あたし、お兄さまが何になったっていいことよ」

「そうはいかないさ。ぼくは園ちゃんを幸福にしなけりゃならないんだもの。ぼくが学者になりたいと考えたって、そのため園ちゃんが、貧乏でみじめで、うじうじしたくらし方するのじゃたまらないんだ」

「お金がなくったって、あたし、案外けろりとしていられるんじゃないかしら」

「どうかな、園ちゃんは贅沢ずきだし、派手だもの」

それは雨宮のいう通りだった。私は人間でも、持物でも、美しいものに人一倍惹《ひ》かれた。地味な服装をして、かえってその人の若さや美しさが、いきいきと浮び上ってくる人がいるものだ。けれども私は地味なものが一向に身になじまなかった。貧しく育った雨宮は、贅沢な私を重荷に思いながら、その重さを自分の腕で支えることに、魅力も感じているのだ。私に対して相談の形で話しかける雨宮が、私の口から決定的な答など、期待していたわけではない。最後に、大学院にのこるのをあきらめ、H電線への就職を取り決めた時は、私に相談しなかった。ただ、就職が決定した報告にやってきて、私の手を執り云った。

「ぼくは園ちゃんのため、自分の一番やりたかったことを捨てたけれど、後悔なんかしていないよ。いっそ、すがすがしい気持だ」

感激的な口調に、私はそっぽをむいて、別にとりすました声でもなく、いつものかったるそうな声音で云いかえしていた。

「あたしのためになんて云わないでちょうだい。あたしが、そうしてほしいなんて、一度だって頼んだ覚えはないわ」

雨宮はびっくりしたように、目をぱちぱちまばたかせて、私の顔をしげしげ眺めた、それから、急に恥かしそうなとも、哀しそうなともとれる、どぎまぎした表情を赧くそめ、

「そりゃそうだ、もちろん、ぼくの自由意志でしたことだ。そうだ、それでいいんだ」

と、早口につぶやいていた。

雨宮は、会社での出来事でも、人の噂話とか、会社の株の上り下り程度の事は私に話したけれど、自分の仕事の性質とか役の立場については、一切語らなかった。雨宮

の母と同居するかしないかの問題が起きた時も、雨宮はほとんど一人で仙台の母と話をつけ、別居送金の方法に決定した。雨宮の母おしげさんと私とが一つ家に同居して、うまくいく筈もないことは、誰よりも二人を愛している雨宮が、誰よりも識っていたのだ。要するに雨宮は、頼もしい申し分ない夫に相違なかった。私にしても雨宮の妻として、一応及第点はとっていた。

二人の間に出来た誠を、これといって不注意からの病気にかからせなかった。仕事はひどくスローモーションだけれど、時間がかかる欠点を除いては、いつでも雨宮を満足させていた。

「園子が、こんなにドメスチックな女だとは、識らなかったよ。ぼくはほんとに、園子を識っちゃいなかったんだな」

整頓された部屋で膝に誠をのせ、私の手料理に満腹した雨宮が云ったりした。その頃から雨宮は、それが幸福の目盛りだとでもいうように、少しずつ肥りはじめていた。私はまた、雨宮が秘かに案じていた浪費家でもないようだった。仙台に送金するため、少なくなる雨宮の給料に対して、一度も苦情がましいことを云わなかったし、手に負えない赤字を出したこともなかった。母よりも妹よりも、父に鍾愛されていた私は、少女時代したいだけの贅沢を堪能していた。雨宮の給料の範囲での奢《おご》りなどには興味がなかったのだ。

誠は殆ど雨宮に似ていた。私は雨宮の美貌を気にいっていたので、誠が成長して、雨宮のような顔立ちの男になると想像するのは不快ではなかった。つつましいサラリーマンの典型的平穏が、わが家に靉靆《あいたい》と漂っていた。


時折、訪れてくる蓉子だけが、私一人の時をみすまし、

「へええ、化けたもんだわね。でも、どうかな、いつまで続くかな、このお芝居」

「何よ、変ないいがかりのケチつけないでよ」

「ふふ、だって、そりゃ無理というもんですよ。何しろ、お姉さまのことは、御本人よりあたしの方が、分析研究してるんですからね」

「お芝居なんて、生意気よ」

「そうかな、ま、見てようっと。でも、そうね、お姉さまって、ほんとにじぶんじゃ、何一つ気がついていないで、うつらうつらの間に凄いとこかくしてるんだから。案外、御本人は、ほんとに、これで一生懸命なのかもわかんないわね」

「大学生になったからって急にわかったような口利かないでちょうだい。だいたい、あんたって、小ちゃい時から賢《かしこ》すぎて、気が廻ってにくらしかったことよ。女は少し

ぽうの方が、暮しやすくってよ」

「そのぽうってのが、こわいんだ。お姉さまのぽうに、たいていの男が眩惑されちゃって、はらはらおろおろして、手をさしだしたがる。お姉さまの方は、いつだって八方破れで、ただぽかん、ぽうと、坐ってればいいのよ」

蓉子はいつでも、私の事に関して批評しはじめると、まるでその事に情熱を感じるように饒舌になった。東京の大学に入った蓉子は中央線に下宿していたが、めったに大森の私の家を訪れては来ない。たまに来ても、お昼前とか午後の二時頃とかにふらりとやってきて、二時間も居れば、さもつまらなかったというふうに帰って行く。雨宮にあうことはほとんどなかった。

「たまには、日曜にでも来て、雨宮にだってあってくものよ」

私が時々、思いだして注意すると、

「ふん」

蓉子は小馬鹿にしたうすら笑いを、鼻の先に浮べて、

「お兄さんが、天下の幸福者は自分でございって顔して、やに下ってるとこなんか、拝見したくもございませんよ。ねええ、まあ坊」

誠をだきあげ、執拗に、顔じゅうキスの雨をふらせた。それに小さな手はいいとし

て、ちょんぼりと並んでいる足の指が可愛くてたまらないと、誠の足首をつかんで、べろべろなめまわしたりするのだった。

「いやあね、変態みたい。そんなに子供すきなら、蓉子ちゃんも早く産めばいいじゃないの」

「じぶんの子供が、必ずしもまあ坊より可愛いとはかぎらないわ。あたし、この子が好きなんだもの、お姉さんが死んだら育ててあげるわ」

云ってしまって、蓉子はあっというふうに、興ざめた顔にしらけた。私はそんな蓉子の、ずけずけした物のいい方には馴れていたから、蓉子じしんがあわてるほどには、不用意な言葉を気にかけもしなかった。

私が、台所から、お茶をいれなおして、部屋に入っていった時、蓉子は私の足音に気づかなかった。蓉子は、ざぶとんの上にころがした誠の唇に、静かに秘やかに顔を近づけ、息を殺してキスをした。私ははっと、ある事に気がついた。蓉子の琥珀色のひきしまった頰に、うっすらと紅みが上り、ほとんど閉じたまつ毛が恍惚にふるえていた。乳臭い幼児にしている接吻に、奇妙なセックスの匂いがただよっていた。私は思わず顔をそむけていた。

昔、雨宮のラブレターの解剖役を引受けた蓉子が、文豪の愛のことばの魔術にかかって、皮肉にも雨宮を愛するようになっている。そう気がついても、私は別に心もさわがなかった。私とちがい、学校の成績もずばぬけてよかったのに、大学は女子大の家政科を選ぶ現実的な面もある蓉子にとって、姉の夫に恋をするというような事は、自分自身に許せない歯がゆい心の流れなのであろう。神経の鈍い雨宮には、とうてい伝わることのない真情だと思うと、私は勝気な蓉子がいじらしくかわいそうになった。そんな心の動かし方は、雨宮の妻としては不当だと気づいてもみたが、私には蓉子の秘めた恋に一向に、嫉妬がおこらないのだ。

敏感な蓉子は、何かを感じたのかもしれない。それから間もなく、雨宮が京都に出張したと知ると、いままで、口にもしなかったボーイフレンドをつれてやって来た。佐野というその男は、蓉子の友人の兄で、二つ蓉子より年上とのことであった。優形《やさがた》の、とりわけ鼻の型が美しい男だった。佐野はウイスキーを持って来ていた。蓉子は、手さげの中から、錫紙《すずがみ》にくるんだ前菜を、何種類かとりだして並べた。

私はそれまで、蓉子がお酒を呑むところなど想像もしていなかった。その夜の蓉子の呑みっぷりには、少なからずびっくりした。佐野も蓉子も呑むほどに冴え冴えし、目が据わってくる酔い方だった。

「蓉ちゃんが、そんなに呑んべえとはしらなかったわ」

「ふん、はばかりながら、あたしだって、お姉さんの妹ですもの。しようと思えば、何だって出来てよ」

「あたしは、そんなにとりたてて云われるほど、何もして来なくってよ」

「あれだ。ねえ、佐野チン、わかったでしょ。うちのお姉さんはああいう駘蕩模糊《たいとうもこ》とした表情で、凄いことをけろりとやってのけられる人なのよ」

またはじまったと、私は蓉子の突っかかる言葉を聞き流し、ウイスキーをなめていた。私は顔色が早く染まるわりに、その後はなかなか正気を失わない酒だった。私たちは、酒呑みの父の体質を受けていたのだろう。三人で一本空にし、ビールを四、五本あけると、さすがに私も蓉子も部屋の片づけに立つのが大儀になってしまった。佐野は、その頃から、ひどく動作が活潑になり、陰気なほど無口なくせに、ちょこちょこ小まめに動きまわった。コップや皿はてきぱき、台所へはこび、ほうきをみつけてきて、さっさと座敷をはきだした。坐ったままの私の指図に従って、部屋一杯にふとんを敷き並べた。

はじめから、泊るつもりでやって来たのだなと、ようやく私は気がついた。何度か勧めても、決して泊ろうとしなかった蓉子が、何を思いついてこんな生《なま》っ白《ちろ》い男と泊るのか、私には蓉子の意図がわからなかった。私、誠、蓉子、佐野の順で、寝床に入った。三人とも、もう口をきくのも面倒なほど酔っていた。

ふと気がつくと、佐野と蓉子のいい争っているひそひそ声がした。

「そんなの話がちがうじゃないか」

蓉子の声はひくくて聞きとれない。いつのまにか蓉子と佐野の位置がいれかわり、誠のすぐ横に佐野のからだがあった。一つ一つの行動に、一々大がかりな演出を必要とする蓉子の性質がかわいそうになった。私よりずっと聡明な蓉子が、私に反撥し私を憎み、私にコンプレックスを感じていらいら不必要にオーバーな身ぶりばかりするのが、私にはうっとうしくなって来た。

また何十分か流れたのだろう。私はうとうと眠っていたらしい。誠にかけている私の手を佐野が静かに撫でていた。佐野の手は私の指から甲に移り、甲から腕にそろりそろり上ってくる。物なれた手のすべりと、びろうどのような男には珍しい掌の、吸いつくような感触を持っていた。佐野の向うで、蓉子が息を殺し、闇にじっと目をみはっている顔が、私には見えるようだ。私は佐野の掌の動きを、だまって許していた。佐野の手が次第に熱っぽくなり、指が微妙に動きだした。闇の中に佐野の息だけが聞えた。佐野の手は私の上膊部《じょうはくぶ》を柔らかくもみながら、すばやく胸にすべりこもうとした。私の右手がスタンドの紐をひいたのと同時だった。三人とも明らかに酔いがさめていた。いきなりふとんをひきかぶった蓉子が、しのび泣きの声をもらしてきた。

佐野と私が、同時にかすかな舌打をした。

朝、目が覚めると、佐野の姿は見えなかった。台所から蓉子が、さっぱりした顔を出した。味噌汁の匂いが漂っていた。

「ごはん出来たわ」

「へえ、ずいぶん早かったのね。あの人は」

「追い帰しちゃった」

「そう」

私たちはそれっきり佐野の事を口にせず、朝御飯をたべた。

「お兄さんに、内緒ね」

玄関で靴をはきながら、蓉子がちらと上目づかいにつぶやいた。

「ばかね、あたしがどなられちゃう」

「あたしはだめね。お姉さんとはちがうんだわ、どたんばになるとだめだ」

「がらにもない無理しないことね」

その日から蓉子は、ぷっつりと私のうちへ来なくなった。大学も二年で中退して、家の方へ帰ってしまった。蓉子のすべての行動は、何一つ事前に私に相談される習慣はなかった。みんな後で、報告の形で伝えられたものだった。

第二章

誠が三つになった春、雨宮は役付になる準備として、京都の支店づめになった。H電線では、役付になる前に、必ず、二年か三年、大阪か京都の支店にやられる決りになっていた。私たちが京都に着くと、支店長代理が、住宅の心配をはじめ、いっさいの世話をして待っていてくれた。それが越智であった。

川原町丸太町に、越智が離れを借りている北林未亡人の家があった。その隣の、未亡人の持ちアパートに私達の住いが用意されていた。六畳と四畳半に、玄関、台所、トイレ付きのアパートは、まだ新しく気持がよかった。

「居心地はどうでしょうか」

越智が、軽いノックといっしょに、私たちの部室へ入って来た。

私は引越しさわぎに疲れはて、部屋のすみで壁にもたれていた。ぼんやり膝を抱いて、雨宮が荷物をとく手許を見ていた。黒いスラックスに黒いセーターを着たその時の私ほど、淋しそうに見えた女はなかったと、越智は後々までいっていた。

ゆっくり首をまわした私の目いっぱいに、越智の顔が映ってきた。肉の薄い精悍な顔の中から、眥《まなじり》の上った越智の目が、私の焦点のゆるんだいつもの煙ったまなざしをがっちり捕えて、動かなくなった。レンズのしぼりをしぼられるように、私の目がひきしまり、瞳がきらきら輝きをました。私のからだの奥のどこかで、何かがかすかな音をたててくずれるのを聞いた。あ、と声にならぬ声を私がたて、越智がどこかを針で刺されたような表情をした。私は越智が私を感じてくれたことをさとった。不思議な震えが、私の内部のもう一つのいのちに伝わっていった。越智が目をそらせた。チャコールグレイの背広に、金茶色のネクタイを締めた越智が、足の踏み場もないほど荷物が拡がっている部屋の中に立った。文字通り掃きだめに鶴という形容が連想され、私は声をのんで笑った。

うつむいて唇の端を噛んでいた私が、笑いの残っている目をあげると、越智の目がまた私に注がれていた。越智も何故だかふっと笑った。笑うと、眦の上った目尻に、くっきり一本の皺が刻まれ、思いがけない優しい表情になった。

「汽車は眠れませんでしたか」

越智が真直ぐ私をみつめて聞いた。

「いゃあ、これは見かけによらず神経の太い所がありましてね。呆れるくらい眠っていましたよ。眠れなかったのは、私の方でしたね」

雨宮が、荷物を開ける手を休めずふりむいて答えた。

「まあ、雨宮さんも休んではどうです。もうすぐ社の方から、若い者が手伝いにかけつける筈ですよ」

越智の言葉が終った時、どやどや階段を上ってくる人の足音がした。手伝いの男たちが、来てくれたのをいい都合にして、私は越智に連れられ隣家の北林家へ休ませてもらいに行った。

「雨宮さんに京都へ来てもらったのは、私が我儘通したんですよ。もう少しで大阪へとられるところでした」

北林家へ行くまでの僅かな道で、越智はそんなことを云っただけだった。

北林家はその界隈でも、目立って豪壮な構えだった。

苔の見事な、広い庭がつづいている奥に、数寄屋《すきや》作りの母屋《おもや》があり、すぐその後ろに、母屋より少し高い洋館があった。

「あの離れに、私は住んでいます」

越智の指さしたのが、洋館のことだったので、私は少し驚いた。離れと無造作にいうから、私は母屋に廊下つづきででもある部屋の事かと思っていたのだ。そう云えば、明らかに、雨宮より数歳は年上と見える越智は、家族がいる筈であった。一分のすきもない越智の身だしなみを見れば、越智の妻の行きとどいた愛情が感じられた。いくつ位の人だろう。そう思ったとたん、私は、胸に細い針を刺されたような痛みを感じた。嫉《ねた》ましいとも悩ましいとも云える甘酸っぱい感情が、胸にじくじくたまってきた。越智のまだ見ぬ妻に嫉妬している――私は私の気持の揺れ方にとまどった。私は越智に逢うまで、彼について何一つ雨宮から聞いていなかったのに気づいた。会社の話は自分から一向に聞きたがらなかったくせに、この時、私は新任地で世話になる上役について、何一つ予備知識を与えてくれない雨宮を、心の中で責めはじめていた。

初対面の北林未亡人は、いかにも関西風なたっぷりとした感じの、落着いた中年の婦人だった。白っぽい古風な化粧をしていたが、陰影の少ない化粧法が大柄な顔に奇妙に調和して、しっとりとなじんでいた。柔らかな小紋をいくらか粋がかって着こなしていた。髪の毛が染めているように褐色なのが、白い顔によく似合って、どちらかといえばきつい感じに整った未亡人の容貌に、優しさと甘さを添えてみせた。これだけのことを、私が初対面の一瞬にみてとったわけではない。その後いつ逢っても、夫人のきちんと化粧の終った顔や髪が、まるでお面やかつらのように同じ印象を与えたのだ。私の記憶の中の初対面の北林未亡人の映像は、動かない一つのものに固定していったのだろう。

熱いコーヒーをすすめてくれながら、未亡人が私に訊ねた。

「お坊ちゃまは」

「手がかかりますので、里の母にあずけてきました。落着いたら母がつれてくることになっております」

「おや、それはお淋しいこと」

未亡人の言葉は、東京の山手ひびきで、関西なまりは全然感じられなかった。歯切れのよさが、未亡人の醸《かも》し出している雰囲気に、不協和音の伴奏をそえた。調子の破れた所から、不思議なエロティシズムが滲み出す。思いがけないほどの小皺が白粉の下に浮んで、ますます未亡人の年齢を不可解にみせた。

「京都は長くなるんですがねえ。京都の女の人ってこわくて、芯からなじめないんですよ。アパートは、やり難いとこもありますけど、深いおつきあいさえなさらなければ、かえって過しいいですよ」

「わたくし、人づきあいが、とても下手な方ですから」

「そうね……雨宮さんの奥さんも、同性には反感をもたれるタイプかもしれませんねえ」

奥さんもというもに、微妙な含みをみせ、未亡人はその言葉を私にむかってではなく、越智に云った。

「それじゃ、お二人は同類だ。せいぜい仲よくなさるんですね」

越智は腕時計を眺めながら云った。

アパートの住人が、誰知らぬものもなかった北林未亡人と越智との関係を、私は誰よりも繁々彼等の家へ出入りするようになっても、気付かずにいた。何事にもよく気のまわる才気ばしった蓉子とは正反対に、幼時から非現実的で、モウロウ型の私は、他人の情事になど、いたって無関心で鈍かった。その頃、私の目は、越智だけに向かってレンズがしぼられていた。越智以外のものは、たとい北林未亡人であっても、単なる越智という人物をひきたたせるバックの風景にすぎなかったのだ。

私の母だけは、誠をつれて入洛するとすぐ、北林家へ挨拶に行って帰り、口を開くなり云った。

「いやらしい女だね、あんまり出入りしない方がいいと思いますよ」

「そうでもないわ。親切な人よ」

母は露骨にむっとした表情で横をむいた。それっきり、北林未亡人のことは云いだそうともしなかった。娘時代から母のこういう種類の忠告に対しては、私が、全く反対の行動でむくいて来たのを、母は思いだしたのだ。

二週間もたたぬうち、私はアパートじゅうの女たちに、冷たい眼でみられているのを皮膚で感じた。私のことを、女には無愛想で、男には会釈する目の色からしてちがうと、聞えよがしに噂されるのを耳にもした。

「ほらね、あなたは存在しているだけで、同性に反撥を感じさせる何かがあるのよ。つまり、それだけ殿方には魅力的な女なのだけれど——」

北林未亡人は、私のアパートに於ける状態をいち早く察して、したり顔に云った。

「べつにどうってことありませんわ。お辞儀したくない人には頭を下げないし、にっこりしたい人にはにっこりするだけなんですもの。一々、人をみる度、お辞儀の角度や笑い方の度合まで、調節出来はしませんわ」

少女時代から、私は男に親切にされつけて来ているので、一々些細な行為にまで、深い感謝を示したりはしない。男が決して、そんな行為をお義理でしてくれていると は思わない。電車で席をゆずってくれたり、人ごみで道をつくってくれたり、荷物を持とうとしてくれる時は、どの男だって、愉しそうないそいそした表情か、いくらかくすぐったそうな、でも、悪くはないという、無邪気で天真爛漫な表情をしているものだ。巧言令色は女の方に多い。幾枚もの舌をもっているのも女の方に多い。言葉と心が、正反対の曲芸も、女の方が男より特技なのだ。私には、女はどうも苦手だった。私の心がこのように女に好意的でないのだから、彼女たちが、直感的に私を憎むのも仕方のないことであった。私はアパートでの孤立をさして気にもかけていないのだった。北林未亡人だけが、どこが気にいったのか、私を毎日のように招いてくれたり、町へ誘ってくれたりした。

「あなたは、男の目には何だか頼りなげで、気にかかってしかたがないらしいのよ。とくな性《たち》だわ。越智さんだって、とてもあなたが気にかかるらしいわ」

余裕のある微笑を唇《くち》もとにうっすら浮べ、からかうように私の眼を捕えてくる未亡人の眼が、たいそうなまめいて光った。その顔は、相変らず化粧に心をつくしているので、年齢不明の若さであった。私も今では、未亡人の芦屋に嫁《とつ》いでいる末娘に、誠より三つ四つ年上の女の子がいるのを知っていた。何かの折、戯れに握った未亡人の掌は、くらげのように柔らかく、融けてしまいそうな不気味な感触で、私の掌の肌に吸いついてきた。優雅に落着きすました初老の女の、軟体動物のような裸身のぬめりが想像されて、私はあわてて熱くなった掌をひいていた。

広い邸に、未亡人は庭番の老人と、その孫の小娘と、通いで来る近所の手伝いの老婆とだけで暮していた。越智は裏の洋館に下宿しているというよりも、未亡人にとっては唯一の家族の役割を果していた。思いがけないことに、越智はまだ独身だったのだ。

庭番の孫娘が、未亡人の下着類といっしょに、越智のシャツやパンツを高々と干しあげているのを見た。それらを見ても、独身の越智が未亡人の世話になるのは当然のように私は思った。それ位のサービスは受けていいほど、越智は未亡人につとめていた。財産の管理や、土地や家屋の揉め事の折衝など、面倒な事務の一切を引受けている事情もわかってきた。

雨宮は京都に来て以来、社用で夜の遅くなることが多くなった。渉外関係の経験を積ませるのが、関西転任の主要目的なので、本社では現場の仕事が多かった雨宮も、一週間の半分は、客の接待につき合わねばならなかった。越智の代理が多いだけあって、そんな夜、北林家へ招かれて行けば、たいてい越智は和服姿で、母屋にくつろいでいた。

「雨宮さんが来てくれたおかげで、私の方はとても楽をさせてもらえますよ。奥さんには悪いけれど」

言葉ほどには気の毒がってもいない顔付で、私にそんな云いわけをいったりした。誠を寝かしつけてしまうと、私たちは、庭番の孫を交えて、たいてい麻雀に時間をつぶした。興が乗って、未亡人は、つい口ばしった云い方で、越智を、

「あら、そんなのないわ、やっちゃん！」

などと呼んだ。越智の名の泰範に、そういう愛称を使っているのかと、私はくすぐったい気持がした。やっちゃんの呼び方のふさわしい年でもない越智は、取りすましている。未亡人が私の目を意識して瞼を赧らめた。それでも私は、二人の間に、何の疑念も持たなかった。

私の母よりも年上だと、未亡人の年をおおよそ察した後では、越智と未亡人の二人を同格に並べてみたこともなかった。越智とはじめて逢った日の、不思議な心騒ぎ

も、その後あまりに容易に、越智と昵懇《じっこん》になってしまったので、いつともなくなだめられていた。越智への親愛感は、夫の上役に対する敬愛の気持には程遠いものであったけれど、私はそれを淡泊な隣人愛だと錯覚した。

雨宮に、突然、あの事を聞かされる日まで、私は無意識のうちに、都合よく名目をすり換えた越智との接触の中で、のうのうと心を温めていた。

その夜、雨宮が、急に早く帰って来た。雨宮は道路から仰いで、私たちの部屋の灯が消えていれば、真直ぐ、北林家へ私を迎えにくるようになっていた。玄関のベルが鳴ると、案内を待たず、北林家の茶の間へ来る筈の雨宮が、なかなか現われない。

「おや、雨宮さんじゃないのかしら」

未亡人がちょっと耳をすます目付をした時、玄関から、

「園子、もう遅いから失礼しなさい」

と呼ぶ、雨宮の声が聞えてきた。

「雨宮さん、まあ上れよ」

越智がパイを打ちながら、声をかけたが、雨宮は上って来ようとはせず、

「おい、園子」

いつもとちがう甲走《かんばし》った声だった。

「少しお冠らしいわね、もういらっしゃい」

未亡人が白けた座をとりなすように、言葉と目で私をうながしてくれた。誠をだきあげて、私はとにかく玄関へ出ていった。雨宮が珍しく激しい目つきで、玄関につっ立っていた。

「なによ。どうしたっていうの」

私もむっとして不機嫌な顔をした。

「とにかく帰れ。わけは後で云う」

雨宮はおし殺した声を私の頬に寄せ、手早く誠を自分の腕にひきとった。アパートに帰りつくなり、めずらしく雨宮が、北林家へ入りびたる私の行動を非難した。その口調に、一種の情熱がこもっているのが私をおどろかせた。

「何だって、急に、そんなこと云いだすの。今まで、じぶんだって、平気な顔であの家へ上りこんでたじゃないの」

「今日、はじめて教えられたんだ。俺たちみたいなお人好しは、ざらに居ないとさ。北林って婆は、二十も年下の越智を、学生時代からたらしこんで、片っぱしから越智の縁談をぶちこわしてきたんだそうだ。あんな婆の不潔な家には行くな。お前が汚れる。越智も越智だよ、四十近くにもなって」

私はショックで、雨宮の眼にとまるほどの貧血をおこしてしまった。雨宮はそんな私の神経症状を、娘時代のままの世間知らずで、稀有な清らかな性情のせいだと解釈した。私じしんは斬りこまれた心の傷の深さにとまどった。越智に逢った瞬間から、やはり私は恋におちていたことを、今更のようにさとらねばならなかった。長い間、越智に瞞《だま》されたような屈辱が、私の心をさいなんだ。しかし考えてみれば、越智と私は声にして愛を誓った仲でもなければ、指をふれあってさえいない。強いて云えば、麻雀友達であり、隣人であり、夫の上役であるにすぎないのだ。越智と未亡人がどのような関係にあろうが、私には関りのない筈であった。私の嫉妬がいわれのないものであるとさとればさとるほど、私の懊悩は深まった。

その晩、雨宮が寝ついた後も、私はほとんど眠ることが出来なかった。それでいて私は、かつてないほど心が充たされ、愛に溢れていた。

雨宮が会社に出た後、私は何をする気にもならず、出窓に寄りかかって、ぼんやり涙を流していた。

北林家の門から、越智が出てきた。私は反射的にカーテンの陰に身を隠した。軽いツイードのコートに、グレイの帽子をかぶり、瀟洒《しょうしゃ》な紳士振りの越智は、朝日に目をそばめながら、アパートの窓をゆっくりした動作で見上げた。髭の剃りあとのすがすがしい、男の朝の顔であった。夥《おびただ》しい朝の光に、すっくりと立ち、顔をあげている越智の全身からは、不倫の匂いも、淫らな翳もみとめられなかった。越智は一瞬、その姿勢のまま静止してこちらを見上げた。私にはその越智の眼が、私のいる窓を見ているとしか思えなかった。

何のために——朝日を反射した窓ガラスと、出窓に出ているゼラニュームの鉢と、てすりに干した誠の空色のベビー毛布、そんなものしか越智の目には映っていない筈だ。それなのに、私は間近でまじまじと、お互いの目を見つめかわしている不思議な心のときめきと、胸をしぼりあげられる切なさを、同時に感じたのだ。越智は目を落す。右肩を心持ち引き上げるような歩き方で、大股に電車通りへ遠ざかっていった。

昼すぎ、北林未亡人が私を訪ねて来た。昨夜の奇妙な引きあげ方をした後なので、当然、今朝、私の方から訪ねていくものと思っていたのだろう。階段のおどり場の方から、他の主婦たちと話をかわしている未亡人の声が聞えてきた。私は何を考えるひまもなく、玄関のドアに鍵をかけ、すぐ鍵をひきぬいておいた。上り口と部屋の境のカーテンを締めて、中を暗くみせたとたん、未亡人のノックの音がした。

「あら、いないのかしら」

「さあ、今朝から、お出かけのようにみえませんでしたけどねえ」

向いの部屋の主婦の声だった。

「鍵がかかってるようだわ……あの、雨宮さんの奥さんがお帰りになったら、ちょっと、うちにおより下さいって、お伝えして下さいな」

「はい、申しあげておきます」

私は息をひそめ、未亡人の足音が、アパートの入口を立ちさるのに耳をすましていた。昨夜、あれほど、越智を怨み、筋のとおらぬ責め方で、越智の俤《おもかげ》にかきくどいていたのに、越智の出勤をかいま見ただけで、私は懐しさに全身が震えそうな感動を味わっていた。北林未亡人に対しては、絶対に許せないと、昏く気負いたつ自分の心に気づき、私はぎょっとした。私はもう決して北林家へは行こうとはしなかった。未亡人の足音に全神経で注意し、ドアを閉しつづけた。二、三度、入口まで訪ねてきた未亡人も、敏感に何かを感じたものか、それっきり訪れて来なくなった。雨宮はそんな私に、すっかり安心しきっていた。

私の恋は、越智と逢わなくなってから、ますます根強く燃えさかってきた。越智への恋と暮すようになり、私ははじめてこれまでの自分が、どれほど孤独で虚しく生きてきたかをさとった。朝ごとの寝ざめの瞬間ほど、越智への恋を全身で感じることはなかった。眠りから覚めていく細胞の一つ一つが、越智への恋でふくらむように思えた。

ある暁方《あけがた》、私はまざまざと夢を見た。

冬枯れのような灰色の草原の上に、男が倒れている。私は傍に跪《ひざまず》き、男の秀《ひい》でた額をなでさすり、髪を指先で梳《くしけず》る。男はたった今、息をひきとったばかりとみえ、まだ、ほの暖かいぬくもりが残っているのだけれど、それがみるみる潮のひくような正確さで冷え去るのが、私の掌に伝わってくる。私は、声もたてずに泣きながら、男の唇に顔を近づけていった。男の息はもう凍りつき、顔からはきびしい冷たさが、霧のように上ってきた。私の唇が死人の唇に触れた。固く冷たい感触が、私の唇から熱さと柔らかさを吸いとるようであった。と、私の唇は、柔らかくなめらかな、男の舌の感触にふれた。男の舌がいきいきと温かさを伝え、私の口中にわけいり、私の舌をさぐった。死人の息が、急に郁《かぐ》わしく私の口中にひろがってきた。

そこには甘美な、煌《きら》びやかな、酩酊に似た陶酔があった。私の全身に戦慄が走った。薄くあけた私の目に、その時、はっきり男の細く切れた目が映った。眦の上った、越智の目であった。

雨宮の片手が私の肩にかかり、引きよせられていった。

「うなされてたよ」

私のからだじゅうが、汗でべっとりと冷たく濡れていた。雨宮の求めるにまかせ、私はいつものように柔らかくじぶんを解きあたえようとした。けれども、すぐその後で、私の全細胞が私を裏ぎった。私は理由もない嘔吐感に襲われ、雨宮を無意識に突きのけ、ふとんの上に起き直っていた。

「どうした」

「変なの……」

からだじゅうが鳥肌だったような感触でざらつき、喉がかわいていた。越智への恋情が、生理的に雨宮の肉体を拒否したのかと、さすがに私は慄然とした。じぶんの不安をひとりで持ちきれず、私は雨宮の手にすがりつくと、口にしてしまった。

「越智さんが好きになってしまったの。こんな気持はじめてなの」

雨宮もとび起き、私の肩に両手をかけ、激しくゆさぶった。私が夢でもみているのかというふうに。

私は震えながら、涙を流していた。

「越智は、越智はどうなのだ」

それは私がききたいのだ。越智と私がふたりだけで話したこともないとわかると、雨宮はすっかり安心した。

「会社の事務員にも、越智のファンが何人もいるらしいよ。あんな男のどこがいいんだろう。女たらしってあういうのをいうのかな」

雨宮は興ざめた顔で、もう私を求めようとはせず、和やかな寝息をたてはじめた。それまで、私はじぶんからは一度も、求める振舞に出はしなかったけれど、雨宮の要求を拒《こば》んだことがなかった。そしてほとんどの場合、充分な快楽と満足とで報われていた。

私の子宮が需《もと》める快楽だけを、私の精神も需めだしたのだ。その夜だけでなく、私のからだが雨宮の愛撫に応じていかなくなったのが明白になると、さすがに雨宮も顔色を変えた。恋をうちあけたこともない男のため、操をたてて夫を拒む――雨宮にのしられるまでもなく、その道理を外れたばかばかしさに、私じしんが呆れはてた。

何もしらずに、誠の成長ぶりを見に来た母が、私の窶《やつ》れ方に驚いた。

「後が出来たんじゃないの」

私はただ無気力に首をふった。恋をしても、子供をみごもっても、たちまち窶れが目立ち、我身の脂と血を痩せ細らせていく、女というものの生理が哀しかった。

「土地が合わないのかねえ。とにかく、誠は私が預っていきますよ」

ふぬけのように萎《な》えた私に愛想《あいそ》をつかし、母が誠をつれて帰っていった。私はそれまでにもまして、雨宮の留守の時間のすべてを、じぶんの非現実的で観念的な恋に溺《おぼ》れ、無為にすごしていた。

雨宮はだんだん私に暴力を振うようになった。暴力で私を犯すことの浅ましさが雨宮の自尊心を傷つけた。持ってゆきばのない鬱憤を、所かまわず擲《なぐ》りつけてまぎらわした。そうした後、傷だらけになった私をかき抱いて、雨宮は男泣きに泣いた。

「園子、どうしたんだその子、そのこう……」

私のからだから抜けだしていった私の魂を呼びもどすように、そのこう、そのこうと、悲痛な哭き声をふりしぼるのだった。何故、突然、じぶんが否定され、私の愛が越智へ移されなければならないか、その理由が具体的に納得出来ないことが、何よりも雨宮を苦しめた。私の愛が、はじめから雨宮の上になかったのを、雨宮は信じようとはしなかった。

雨宮が会社で、越智とどのような関係になっているのか、私は訊いてみたこともなかった。一日として、越智と無交渉ではいられない二人の役がらなのだから、雨宮が越智との接触に、どれほど精神的にこたえているか、私にも想像出来た。温和だった雨宮の顔も、頰骨がとがってきて、高い鼻のまわりに、どんより墨色の隈《くま》がまき、目つきが、陰気にとがってきた。

真夜中、重苦しさに目が覚めると、私の上に馬乗りになった雨宮が、充血した目をぎらつかせ、大きな掌の中に私の首をはさんでいた。ものもいわず、じりじり指をしめあげていく。私は息がつまり、頭が高鳴りはじめ、手指の尖《さき》まで、じんじんとしびれが伝わって来た。雨宮の顔がモウロウと揺らぎ、みるみる大入道のようにふくれ上っていく。じぶんの目が、つり上るのがわかった。

がばと、雨宮が両掌をはなし、私の上に掩《おお》いかぶさって、すすりあげた。しぼりあげるように私をかきいだき、しめあげ、涙でべとべとになった頰を、私の顔におしあててきた。殺せばいいのに——声はかわききった喉にからみ、出なかった。私は雨宮の背に手をまわし、静かになでさすっていた。雨宮に対して性欲のなくなった私には、前には感じなかった優しさが雨宮に対して心底湧《わ》いているのだった。

「東京へ帰してもらおう。ね、園子、東京へいっしょに帰ってしまおう」

私の示す優しさに、すがりつくように、雨宮がかきくどいた。

その頃、私の部屋へ、アパートの一階にいる美術学校の学生が、遊びにくるようになった。洋裁店に勤めているオールドミスの姉と暮している正田は、髭の剃り痕の青い、色白で神経質な容姿をしていた。正田の姉に、二、三度服を頼んだのがきっかけで、展覧会のキップを一、二度もらったりした。姉が出勤してしまうと、正田は学校へ行くふうもなく、アコーディオンをならしたり、絵筆をもってみたり、気儘で自堕落な時間を送っているように見えた。正田は、秋の展覧会に出す絵のモデルになってくれと、頼みに来た。

「だめでしょ、あたし、からだの具合が悪くて、変になってるんですもの」

「そうじゃないんです。ぼく、失礼だけど、この頃の奥さんだからこそ、描かせてもらいたくなったんです。悩んでいる女の人の美しさを表わしたいんです」

「だれが悩んでるんですって」

正田は気の毒なほど、真赤になった。

「ごめんなさい……。ぼく、ついそう思いこんでしまって」

「そうじゃないんでしょう。きっとアパートでそんな噂して、あたしのこと嘲《あざけ》ってるんでしょ」

正田は今度は蒼白になり、むきになって弁解した。

「ぼくは、やつらの井戸端会議みたいな下司《げす》な噂なんか、問題にしてやしません。そりゃあ、やつら、よれば、ひどいことといっています。もうずっと前から、奥さんとあの人たちのことを色々云っていました。でも、ぼく、それで奥さんの心を臆測したんじゃないんです」

「もういいわ。わかってよ正田さん。モデルって、ただ、ぼんやりしてるだけでいいなら、描かせてあげるわ」

私はそれ以上聞くのがわずらわしく、そう云った。どうせ、もぬけのように、終日、うつらうつらしているのだから、絵にしたければ勝手にすればいいじゃないかというなげやりな気持でもあった。正田は拍子ぬけしたように、きょとんとしていたが、急に、眼を輝かせると、私の部屋を走りでていった。

それから、ほとんど毎日、正田は私の部屋を訪れた。一日、二十分だけ、一週間の約束を、ひとりで申し出て、ひとりで決めたが、いつのまにか、一時間も二時間も、私の部屋に居坐っているようになった。正田が鉛筆を走らせている間、私はぼんやり誠のセーターを編んでいればよかった。正田のスケッチは一向にはかどらないらしく、本当に描いたのか、描かないのか、いつのまにか一週間はすぎた。スケッチブックのかわりに、アコーディオンを持って、やってくるようになった。正田のアコーディオンは、彼の部屋にかかっていた彼の油絵よりは、ましなように聞えた。

「ぼく、本当は音楽学校に入りたかったんです。二年落ちたので、絵の方にしちゃったんです」

聞きもしない話を、正田はひとりでつぶやいた。私にかまってもらおうとするでもなく、あれこれ、気のむいた曲をひいてくれた。甘いシャンソンの恋の曲など、私はぼんやりきいている。ただそうやって時が流れてくれるだけで、ほっと息がつけるのだった。気がつくと、アコーディオンを弾く正田の目に、子供のように涙が光っていた。私にみとがめられたとみると、正田は真赤になり、つづいて気の毒なほど醜く顔を歪めた。

「奥さん」

アコーディオンをなげだし、いきなり私に襲いかかってきた。キスの一つぐらい、させてやっても構わないのに——頭のすみで、ちらとそんな気持がはしったけれど、私の皮膚は正田の息と体臭に、鳥肌だち、悪寒がつっぱしった。口もきかず、じぶんでも思いがけない力で、正田をつきとばしていた。

その晩、正田は薬を嚥《の》んだ。

私あての遺書があったため、正田が失恋自殺をしかけたという噂が、ぱっと拡まってしまった。発見が遅かったが、一命はとりとめた。生きかえった正田に、アパートじゅうの同情が集まった。私には、純真な青年の心情をもてあそんで、死に追いやった悪い女のレッテルが貼られた。私は警察にしらべられ、雨宮も調書をとられた。

正田の郷里から、老母がかけつけてきた。老母は泣きわめき、私の部屋にどなりこんだ。末っ子の正田は、母に溺愛されているらしい。母は母で、過ぎ去った息子の危険状態に、脅《おびや》かされ、それを目の前に見守る以上に興奮し、逆上していた。息子が死にかけた時、自分がその枕元に居なかったことが、息子の死をみるよりも、心を傷つけたのだ。開け放したドアにしがみついて、わめきつづける正田の母の狂態といっしょに、私もいいさらし者であった。

この事件は、雨宮を二重三重に傷つけた。

「越智の事で、こんな想いをぼくにさせていながら、園子はどうして、馬鹿男につけこまれる隙《すき》などつくるんだ」

いつでも尤《もっと》もな雨宮の言葉に、私は弁解する気力も失くしてしまった。アパートの人たちの同情は正田におとらず、雨宮にも注がれていた。

もう誰も私に口を利こうともせず、仕方なしの儀礼的なお辞儀さえしようとはしなくなった。

私を見る時、人々の目の中に、ちらと恐怖めいた色さえ走るのに、私は気がついていた。噂というのは、いつも事実よりは、いくらかロマネスクに飾りつけられている。噂の中では、すでに、私は越智の情婦であり、雨宮と北林未亡人が同格の被害者になっているのだった。今では、ひそひそ声の段階をすぎ、噂は、大声でドア越しにも壁ごしにも、私の耳に入って来た。

それらは私の上を素通りしていった。

私には、相変らず越智への恋だけしかなかった。

私は恋するものの不思議な直感で、越智が私の愛を識っているにちがいないと信じはじめた。さすがに私も、これ以上雨宮を裏切ることは出来ないと思った。雨宮の目を盗み、越智に逢うとか、連絡するとかの手だては、考えてもみなかった。雨宮のいない間、アパートの部屋にとじこもり——日によっては雨宮は外から鍵をかけて出かけたりした——食物もとらずうつらうつら、心を空にしている——と、越智が必ず、扉をこじあけ、私を救いだしにきてくれる妄想で、心がときめいてくるのだ。雨宮は私を、神経衰弱だと断定した。それは半ば正しい判断にちがいなかった。

　ある夜おそく、雨宮が帰ってきた時、私は、洩れたガスのこもる部屋の中で、昏倒していた。

　雨宮と、私の母との手紙の相談の結果、私は、母の所へ病気療養の名で帰されることになった。私にとっても、苦しんでいる雨宮の側にいるより、その方が望ましかった。

「しばらく、むこうで静かに暮していておくれ。出来るだけ早く、東京へ帰してもらうように運動して、迎えにいくよ。越智はとうてい、北林の腕から逃れられっこないんだよ」

「どうして、そんなことが予言できて」

　こんな返答が、雨宮をどれほど傷つけるかわかっていながら、やはり私は口にせずにはいられなかった。雨宮は怒りで蒼白になったが、ここで私をこじれさせ、母の所へ帰らないと云いだされては面倒なので、必死に自分の感情をおさえつけた。激情を無理におさえつけるため、雨宮は低い重々しい口調になった。これまでに調べつくした北林未亡人と越智の、いわゆる腐れ縁なるものの歴史をのべたてた。

越智が京大在学中、実家の没落にあい、未亡人が補助したのが皮きりであった。すでに二十年もつづいて来た二人の間には他人の想像の及ぶかぎりの、いざこざが、無数に積み重ねられていた。何度か、越智が逃げだした時期もあったけれど、結局、未亡人の執着は、恐るべき根気でその都度越智を取り戻していた。子供たちからも見放され、一族からは見捨てられても、未亡人は、越智との永久に不幸な恋にしがみついて離れなかった。

「もちろん、正田の息子みたいなことは、何回となくあったよ」

「もうわかったわ。もう聞かせないで」

苦痛があまり激しかったため、かえって私の声は平静で、沈着にさえ聞えた。

荷造りの出来たふとん袋の上に、私は足を曲げ、猫のようなしぐさで横になっていた。雨宮は運送屋へ連絡に出かけていった。その時、半開きの扉をおして越智が入ってきた。私は全身の関節がばらばらになるような奇妙な安堵感で、姿勢を変えることができなかった。

「何もしらなかった。雨宮君と北林が話しあって、一切ぼくにかくしていたんだ」

越智は大股に近づいてくるなり、両手で私の顔を力強くはさんだ。

「こんなにやせてしまって……」

越智の声の調子には、もう何年も前からの恋人か妻へのなれなれしさと温かな横柄さがこもっていた。私は当然のように快く聞きわけた。涙が、あとからあとから溢れでて、越智の顔が見えなくなった。あれほど、朝も夜も、見たいと欲しつづけた越智の顔が、やっと目の前にあるというのに。越智が大きなハンケチをとりだし、私の泪をふいてくれた。私はむさぼるように越智の顔をみつめた。少し疲れ、目の下に隈の浮んだ顔が、私を見下した。その顔は、私が終日、対《むか》いあっていた顔とは少しばかり違っていた。私の描いた越智の顔より、今、目の前にある現実の顔は、いくらか老け、みすぼらしかった。とりわけ美しくもないかわりに、とりわけ醜くもなかった。むしろ、その顔をつくづく眺めることによって、私は雨宮の整った顔の美しさを認めなおした。

それにしても、私が身も世もなく恋をしている男の顔にちがいなかった。

「逢いたかった」

うむと、顎をひいて、越智は長い指を私の髪につっこみ、身ぶるいするような優しさで、かきまわした。

「きて下さる」

「きっと行く」

云いたいこと、話しておかねばならないことが、いっぱいある筈なのに——思考力が、ひたっと中止してしまい、頭の中をも、からだの中をも、白っぽい風がふきぬけるだけであった。雨宮がここへ帰ってきたら、どうなるだろう。そんな心配をするのも惜しい気がした。この一瞬に、ポンペイ爆発のような天変地異がふりかかることを、私は希ったくらいだった。

越智と私は、耳をすませる目つきをかわした。北林未亡人の声が、何か叫びながら近づいてくる。すばやく身をかがめると、越智は私に唇をつけ、身をひるがえして出ていった。性欲のないキスであった。

「奥さま、越智は……越智はどこにいるんです」

ほとんど二ヵ月ぶりでみる北林未亡人の目はつり上り、私の姿など映っていないのかもしれない。年齢の滲みだす唇のまわりの筋肉を、醜くひくひくひきつらせ、気の毒なほど、全身で震えていた。髪が乱れ、足袋はだしだった。炎を背負っている凄じい未亡人の姿に、嫉妬を忘れ、私は両手をさしのべていた。

第三章

母は、私の引きおこした事件、つまり、雨宮の上役である越智とのスキャンダルに、病気になるほど憤慨した。雨宮の母と雨宮に申しわけないと、うわ言のようにいいつづけ、泣き暮した。

蓉子は、このまま、母は気が変になるか、自殺でもするのではないかと、寸時も目が離せなかった。

「やっぱり、こんなことだったじゃないの。私はきっと、お姉さまはお兄さまを不幸にすると思ってたわ」

私に対って、蓉子はもう遠慮なく、雨宮の肩をもった。雨宮を不幸にした私を憎む、正当な名目が与えられたので、蓉子は露骨に私を憎悪した。それでいて、誠を可愛がる蓉子の態度には、不思議な情熱がこもっていた。学校をひいた後の蓉子には、縁談が次から次へあったのに、断りつづけてきた。雨宮との離婚をすでに決心している私には、雨宮と蓉子こそ、うまく収っていくだろうと思うのだけれど、まさか、私からすすめられる縁談でもなかった。
母は私を、世間的には勘当として、人目に触れないよう外出を禁じた。止むをえない外出の場合も、表門の出入りは禁止すると、時代錯誤の処分を云い渡された。戦争が終ろうが、憲法が変ろうが、母の道徳律だけは、毛ほどもゆるぎはしなかった。母が日頃の聖人ぶりも上品ぶりも忘れ、髪ふりみだし口を醜くひきゆがめて、これまで聞いたこともない下司な口調で私を罵倒するのをみて、私は場所がらもわきまえず、ふっと心が和んだ。こんな人間的な母なら、何もあれほどきらうわけはなかったのにと思われた。

雨宮の本社復帰の工作は、なかなか思うようにいかなかった。その上、逆上してしまった北林未亡人が、会社まで越智を追いかけ狂態を度々演じた。越智と私のスキャンダルは、既成の事実として拡まっていった。本社でも、この噂は大評判になっていた。雨宮の立場は惨めなものになった。世間が、妻を寝とられた夫に示す同情の中には、たぶんに軽蔑が交っている。彼等の口にする言葉とは反対に、越智は男を上げ、雨宮は男を下げた。雨宮に尚悲運なのは、越智が京都支店長にとって、無くてはならない片腕であることだった。というより、どうやら、支店長は、越智に、会計上の失策の秘密のいくつかを握られていた。支店長は、社長とは深い姻戚関係にあった。

雨宮は、自分の置かれた屈辱的な立場について、具《つぶさ》に私の母に手紙で連絡してよこした。四角なちまちました雨宮の字で、びっしり埋められた分厚い封書が届く度、母は涙を流して読みふけった。手紙は母の手から蓉子に渡り、また母の手に移され、二人は頭をつきあわせて手紙の上に落涙した。

私はすることもなく、終日、奥の暗い部屋で、誠を相手にぼんやりすごした。台所にいけば、蓉子がいやがった。庭でも掃こうとすれば、母がとんできて止めた。庭に出れば垣根ごしに、私の姿を見とがめられないでもないのが、母の苦労の種であった。

「お父さまの血が園子に流れたのだ」

母の口ばしったこの言葉から、私は急に道が開けた想いがした。私はこれまですっかり友奴のことを忘れきっていたのだ。出入りの肴屋《さかなや》の小僧にこっそり訊き、友奴が新開地で、同じ名の呑み屋を出していることを知った。

蓉子が外出し、母に客の来ていた時を見すまして、私は家をぬけ出した。誠は客間で母の膝にのっていた。赤ん坊の時から、始終母につれて帰られていた誠は、私よりも、母や蓉子になついていた。

友奴の呑み屋はすぐ見つかった。人二人がやっと通れるほどの露地の両側に、小さな呑み屋が目白おしに並んでいる。その中ほどにあった。昼すぎの露《あらわ》な陽にむきだされたそれらの家々は、一押しでぐらつきそうに頼りなげな安普請《やすぶしん》で、昼間の娼婦の素顔のように、淫らで侘しい表情だった。

赤い腰巻の上に、着物の裾をまくりあげた若い女が、入口の戸に雑巾をかけていた。そこが友奴の店であった。女は曖昧な表情で、なかなか友奴に取りつごうとはしなかった。胡散臭《うさんくさ》そうに、ちらちら、目の尻で私の様子をうかがい、

「どんな用ですかあ」

「古川の園子といって下さればいいのよ」

半分あいていた戸口から、私はずいと入り、わざと声を大きくした。うす暗い奥の部屋で人の気配がし、のれんのかげから人の目がのぞいた。

「まあ、お嬢さまじゃありませんか」

顔をつきだしたのは友奴だった。友奴は見ちがえるように肥ったが、あまり年はとっていなかった。私の父に死なれた後、悪い男にかかわりあって、苦労したと語るほどには、いじけた表情がなかった。

「やっぱりねえ……何だか、お嬢さまのことは心にかかって、心配だったんですよ。虫が知らせるっていうんでしょうかね」

私の舌たらずな話の内容を、友奴はすぐにわかってくれた。

「とにかく、京都の人と、連絡を取るのが、何よりかんじんですね」

「あたし、家を出たいんだけど、どうせ雨宮とは離婚するよりほかないと思うし……」

「出るのはいつでも出られます。一応落着き先も、心当りをあたっておきますからね」

友奴は、子供はどうするとか、生活はどうするとか、人の訊きそうなことを何一つ云わない。そんな点、昔のままであった。越智からの手紙を友奴の所に来させる手筈だけ決め、私はまたこっそりうちへ帰った。

蓉子がこのところしきりに外出すると思ったら、雨宮の就職運動だとわかった。母は、雨宮の面子《メンツ》をそれ以上傷つけない為、いさぎよくH電線を辞めるよう勧めていた。その代り父の友人が新しく市に拡張した電気機械の工場長に、雨宮を斡旋《あっせん》していたのだ。蓉子は社長の娘と特別仲がよかった関係から、母以上にこの運動には力があった。

雨宮が充分乗気になって来たのは、母あての手紙をこっそりみてわかった。雨宮は毎日のように、私に手紙をよこしたが、それには愛以外のことを何一つ書いていなかった。現実的な問題は、母と蓉子あての手紙にこまごま記されてあった。

私は母に無断で、雨宮に離婚請求の手紙を出した。雨宮はすぐ、私の手紙を同封して母に送りかえしてきた。その中に、私あて、母あて、蓉子あてと三種類の長文が入り、手紙はまるで小包のようだった。母も蓉子も、雨宮の手紙を見て泣いた。私を鬼だとののしった。

「どうか園子を責めないで下さい。やはり反省してみると、ぼくが悪かったのです。今度の事件がおこるまで、ぼくはどんなに反省しても、自分の園子への愛で、落度というものを認めることが出来ません。夫として、この世にあらん限りの愛と信頼を園子に注いでいたと自負します。しかし、今度の事を園子の口から云い出されて以来、ぼくはあらゆる迫害を精神的に、園子に加えていたのかもしれません。格子なき牢獄に押しこめ、その目にみえぬ枠を、一寸せばめ二寸せばめしていなかったとはいえません。園子の如き、人一倍自由な精神を持つ女が、この圧迫に堪え切れないのは当然です……」

「こんなもったいない旦那さんがあるだろうか」

母はじぶんあての雨宮の手紙を、私におしつけ、畳にうつ伏して泣いた。

蓉子は、手紙をびりびりひきさき、

「お兄さまも、意気地がなさすぎるから、お姉さまになめられちゃうのよ」

と、泣きながら、目の前にいる人に云うように吐きすてて、立っていった。

私あてのものは、お前の気が落ちつくまで、いつまでも待つというのであった。離婚は絶対しないと明記していた。私の離婚要求は、雨宮の転職の決心をうながした。とにかく親子三人がいっしょに住む以外に、この危機をのりきることは出来ないと考えたのだ。


肴屋の小僧が蓉子の目を盗んで、友奴の手紙をとどけてくれた。店のナフキンに鉛筆の下手な走り書き、ただ至急来てくれとだけ書いてあった。小僧は私に手紙を渡すなり、す早く駈け帰ったので、何を聞くひまもなかった。

友奴の店へ入っていくと、

「あっ、いらっしゃいましたよ」

のれんの奥で、友奴が、誰かに云う声がした。飛び出してきた友奴は、ものも云わず、私の手をひっぱって座敷へあげた。昼間のぼんやりした電灯の下に越智が坐っていた。思いがけなさに、しばらく私は、目の前に何が起っているのか、考えてみることも出来なかった。入口に突っ立ったまま、まばたきもしないで越智を見下した。

「どうしたの、まあ坐りなさい」

越智が口をきいている。これは現実なのだ。ようやく、私はその場に腰をおろした。

「手紙みて、すぐ発《た》った。返事なんか書いていられないんだ。よかった……」

私はまだ口が利けなかった。越智がす早く私の両手をとり、自分の掌ではさみ、私の存在をたしかめるように、私に越智を確認させるように、力をこめてはさみつけた。微笑んでみせようとした私の顔に涙があふれてきた。越智がハンケチを出した。

「あの時と同じね」

やっと私はそれだけが云えた。越智は十一時間、汽車に揺られて来て、四時間しかこの町にいられなかった。

「逢えればいいと思うと、もう来ることだけだ。明日の二時にある会議には、どんな事してでも帰らないと困るんだ」

たった四時間のために、十一時間の旅をしてくれた。私はいちずに越智の目にみいった。愛されていると思う陶酔よりも、やはり、この男を愛していると思う心に、私の内部には何かが充ちあふれる。私はじぶんがひどく贅沢な豊饒なものになるような気がした。

友奴は住みこみの小女をつれて、みたくもない映画に行った。

私たちはキスをした。ひどくぎこちなく儀式めいて、あのあわただしかった初めてのキスよりも、もっとあっけなかった。私たちは目をみあわせた。お互いの目の中に、今のキスの不首尾の原因を、自分のせいだと思うはにかみの色を見いだした。それを打消そうと、私たちはふたたび両方から身を寄せた。二度めのキスは優しく、甘かった。長い間雨宮とのセックスに触れていない私は、そのキスだけで、肉の快楽がもたらす、透明な虚脱状態に陥りさえした。自分の生理にあらわれたしるしを、越智の指に知られるのが恥かしく、私は越智の手を拒んだ。

「もっといい環境の時の方がいいね」

越智は自分に云ってきかせるようにつぶやき、もう私を求めなかった。それに、四時間の短い間に、私たちは何と多くの事がらについて話しあい、約束しあい、とり決めなければならなかったことか。

越智が帰るのを、友奴が私に代って送っていった。私は一刻も早くうちへ戻らなければ、四時間の留守の云いわけがますます困難になるのだけれど、どうしても、友奴の座敷から立つことが出来なかった。ついさっきまで、越智のいた部屋、越智の呼吸した空気、越智の口にふれた煙草の殻――それが私を包み、私にまつわりつき、私をしばりつけた。友奴が帰るまで、私はただ、越智との四時間を反芻しつづけていた。

私はある一つの事に気がついた。私たちは、相手の言葉を信じていないくせに、本人よりも信じているふりをし合ったのだ。越智が、北林未亡人との生活を今度こそ清算するといった時、私はそれが、どんなに不可能か、越智よりも知っていた。あの日の炎を背負ったような北林未亡人の狂乱ぶりが、ありありと思いだされた。越智は越智で、雨宮と別れるという決心にうなずいてみせたが、決してあり得ないと思っているのだ。ある種の予感には、恋ほど、遠い将来を透視する力をもつものはない。私は、自分が夫から逃れる力のないのを知っているように、相手もまた情人から逃れる力のないのを予感している。しかしその殆ど絶望的な事態にさえ、恋はやはり突き当っていくだろう。

雨宮と北林未亡人だけは、越智と私の間がセックスで結ばれていないと信じていた。世間の噂はとかく事実より数歩前を歩いていくものだ。雨宮も北林未亡人も、この一事で、決して希望を捨てなかった。じぶんの愛と、じぶんの保護者的責任を信じて疑わない点で、二人は全く一致していた。越智にしろ、私にしろ、じぶんの恋について、人を納得させる、条理の通った云い分があるわけではない。海綿のように無神経な世間の自信の前では、私たちの恋などは、観念的だと一蹴され、歯も立たないのであった。世間に事実を納得させるには、原因か、結果を示すべきなのだ。私と越智の恋には、人に説明出来る原因がなく、結果を示してみせるしかないのだ。

友奴は帰ってくるなり、駅へ行く途中で、蓉子に逢ったと、笑いころげた。

「蓉子さんはね、また私が、新しい男をつくったとでも思ったんでしょうよ。いまいましそうな表情して、ろくに越智さんの方なんて見やしませんのさ。私しゃ、ちょっとばかしどきっとしましたよ。行きすぎてから越智さんに、あれが蓉子さんだと教えてあげたら、そんならもっとよく見ておくんだったって笑ってました」

「母でなくてよかったわ。母はあの人に逢ってるから、一目でわかってしまう」

私の言葉は、友奴をすっかり有頂天にさせた。父のいた頃から母の仇敵意識は、結構、友奴の方にも乗りうつっていたのだ。私の力になるのが、直接私の母を侮辱することなのだ。友奴は、この不倫の恋を、あくまで成就させてやろうと決心した。

友奴の計らいで、家出した後の東京の隠れ家まで決った。

「御遠慮はいらないんですよ。昔うちにいた留美子の妾宅なんですから」

数えてみれば、留美子も、十九か二十になっている。

私と越智は、のんきな旅行者のように、のろのろ上って行く登山電車の片すみに坐っていた。友奴の家で越智と逢って二十日はたった。雨宮はいよいよ辞職して、四、五日うちに、母の家へ、京都から引きあげてくることになった。越智と私は小田原で落ちあい、言葉もなく肩をよせあった。登山電車に乗りたがる私に、越智は苦笑しながら従った。

「ここまで来たんですもの、のんびりしたいわ」

夏をすぎたばかりのせいか、車内はがらんとして、涼しい風が吹きぬけていった。強羅《ごうら》の駅前から客引に案内され、行き当りばったり入った宿は、深い渓のきりぎしに建ち、渓向うの山が屏風のように空をさえぎっていた。乳色に濁った硫黄泉に浸《つか》っていると、モザイク硝子《ガラス》の窓のすぐ外で、鶯と山鳩がこたえあうように啼いた。

その晩、夕食の後、私は急激な胃痙攣《いけいれん》を起した。

「生《い》き霊《りょう》にとりつかれたのかしら」

はじめは片手で胸元をおさえ、冗談半分にいって顔をしかめているくらいだったが、半時間もたたないうち、声を出すのも苦痛になってしまった。海老のように全身を折りまげ、脂汗を流す私の上に、越智が馬乗りになって、背中をおさえつけてくれるのだけれど、私の激痛は静まらない。

「ごめんなさいね」

「ばかっ、そんな神経使う時じゃないよ」

越智に手荒に扱われ、乱暴にどなりつけられるほど、私の苦痛は、一とき快楽にすりかわった錯覚をよぶ。ようやく、小湧谷《こわきだに》の医者が着き、薬で私が眠りにおちたのは十一時をまわっていた。

「これで案外、いそがしいものでしてね。温泉へ来て、病気になる人は、なかなか多いんですよ。新しく出来た宿に病人の多いのは、湯の新しいのと、関係があるんでしょうかね……。はあ、ここの湯も成分が強いんですよ……」

医者のそんな声がしだいに遠のき、私の頭の奥は、甘く痺《しび》れこんでいった。渇きで目覚めると、うす暗い枕スタンドの灯の中に、越智が壁にもたれたまま、立てた膝に顔をふせてうたた寝している姿が浮び上った。隣に敷いた越智の床は、シーツにしわ一つなかった。気配で顔をあげた越智の眼は充血し、疲労が鼻筋の翳に濃くよどんでいた。越智はのばした私の両手を握りしめ、落着いた声でいった。

「何も気にしないで、二、三日ゆっくり眠りなさい。疲れをみんなはきだしてしまうんだね」

「すみません」

私の一言には色んな意味がふくめられていた。越智は感じたのか感じないのか、タオルで私の顔をぬぐい、私の手を静かにふとんの中にさしいれた。

そこで四日、私は胃の痛みのとれた後も、熱を出し、温泉にも入らず寝てくらした。越智は完璧な看護人だった。わたしたちはセックスを忘れたように、終日静かに話しあって暮した。話はほとんど越智がし、私は微笑みながら、床の中でうなずいていた。

鶯と山鳩の声と、渓向うの山の腹に流れる雲のうごきが、私たちと共にあった。越智と暮した強羅の四日間だけに、私の恋は生きていた。

その後二ヵ月を経て、越智とはじめて肉体的に結ばれた時、私の恋は終ったのだ。

もう一度母のうちへ帰ったのは、雨宮にはっきり離婚の話をつけるためであった。母は、生きている間にこんな恥をかくとは思わなかったと、逆上しきっていた。雨宮はすでに母のうちに着いており、もう一日待って私が帰らなければ、捜索願いを出すつもりだったといった。驚いたのは、北林未亡人が、雨宮の後を追うように母のうちへやって来て、二晩泊っていったことであった。その間に、母はあれほど嫌っていた北林未亡人と、すっかり同盟を結んでしまった。あそこまで男に打ちこむのは、よくよくだというのが母の意見であった。母の北林未亡人観は、好きものから、純情一途な女に一変したのだ。

「三日二晩ここにいて、ほとんど、ものはたべないし、泣きどおし、あんなやさしい人や、雨宮のような誠実な人を、罰当りな目に合せて、お前はそれでも人間だろうか」

母は、今度の四日間で、完全に私が越智と関係をもったと信じた。いや、もっと前から、私と越智の間は、肉体的なものだと決めていた。世間の噂よりも、母が一番早く、一番本気で、私の不貞を信じこんだのだ。ただ、今度の公になった行動で、いかにも、はじめて取りかえしのつかない事態になったと、あわてふためく風を装ったにすぎない。

「あの人、塩の袋もって来ていて」

私は、母がさんざん泣いて、疲れきり、少しぼんやりした時、ふっと口にだした。

「塩の袋……塩の袋って何です」

「ううん、持って来なかったのね。いいのよ、ちょっときいてみただけ」

「塩の袋がどうしたっていうんです。そんな突っ拍子もないことといって、大切な話は何一つ身をいれて聞いてやしないんだ。いいかげん、親を馬鹿になさい」

母はますます逆上して怒り出した。私は云いわけも面倒になり、口をつぐんだ。説明すれば、もっと母を怒らせるに決っている。なるほど、こんな際、私がなぜ未亡人の塩の袋を思いだしたのか、自分でも奇妙だった。


北林未亡人が塩の袋を目の上に置いて寝るのに気がついたのは、私が未亡人に可愛がられ、北林家に毎日のように出入りしはじめたすぐ後だ。十時頃、何かの用で急に未亡人を訪れた。寝室から出て来た未亡人は、もうすでに濃い化粧を終っているのに、目のまわりが、白粉とはちがう白っぽい粉で隈を描いていた。

「あら、お目、どうなすったんですの」

おどろいた私が、思わず不しつけな声で云った。

未亡人は、あわてて目のまわりを掌でこすった。白い粉はとれ、まだ四十前といっても通るような、うるみの勝った艶な目が笑った。未亡人の目は、まつ毛も年に似ず長かったが、白眼が蒼いほど澄み、どこよりも美しく人目を惹いた。

「ふふふ、楽屋みられちゃったわね」

未亡人は、よほど機嫌がよかったのか、はすっぱに聞える声をあげた。

頼みもしないのに、寝室から、塩の袋を持って来て見せた。二重にしたガーゼの中に、塩をつめた細長いその袋を、目の上にのせて寝るのだという。目を若々しくするための秘訣であった。昨夜それをしなかったので、今やっているところだと説明した。

私は後になって気づいたのだ。前の夜、越智とすごしたため、塩の袋を目にのせられず、越智の出た後、ふたたび寝直していたのだろう。その時は何も知らず、女の秘密までさらりと打開けてくれる未亡人の好意にびっくりした。私はわざわざ、塩の袋を目の上にのせ、しばらく仰向いていたものだった。袋は以外なほど冷たく、その冷たさが目の熱を吸いとるのか、気持がよかった。それでも、塩の重さは、いくら袋が薄くても、相当、顔の上にかさばった。私にはとても一晩中そんな事をしていられまいと思った。母から、未亡人の泣き通した話を聞かされ、人一倍美しい瞳が、充血したのを想像し、ふっと、塩の袋を思いだしたのだ。何気なく見すごしてきた、それらの些細な事件も、今になれば、一つ一つの事が密接に未亡人と越智との情事につながって見える。越智に老いを感じさせまいと、北林未亡人が二十年来、どれほどの苦心を払いつづけて来たかと想像しただけで、私は胸が重くなった。

蓉子は、もう口もきかなかった。誠を自分にひきつけ、私の方へ出来るだけ近よらせまいとした。

雨宮は唇の端をふるわせながら、眼鏡の奥の眼に涙を滲み出させていた。

「すみませんでした」

「生きていてよかったよ」

芝居のようなせりふが、おかしくはなく、私もつりこまれて涙ぐんだ。

何故この男を愛せないのだろう。善良で生真面目で、子供のように単純な男。この男には人から非難される点は何もない筈だ。自分の妻と子供を何よりも愛している男。妻のあからさまな姦通さえも、たった今、許そうと、心の中で苦しい闘争をくりかえしている男――。いや、雨宮は必ず私を許すだろう。私には、許されることが嫌なのだ。ことばでしか話しあえない男。ああ、しかし、人間はたいてい、言葉でしか話しあっていないではないか。でも、越智はちがう。私は越智とはじめて逢った瞬間から、言葉以外のもので話しあったのだ。そう思うと、頭を垂れかけていた私の中に、越智への恋情が、荒々しい音をたてて逆巻きはじめた。小田原のプラットフォームで別れた越智が懐しく、咽喉元に、激しい感情がつきあげた。思わず、うめき声とも咳とも見わけがたいものに、噎《む》せかえった。

その夜、私は雨宮に誘いだされた。

「家じゃ、お母さんも蓉ちゃんも興奮して、話らしい話も出来ない。ぼくは、誰の意見もききたくないんだ。ただ園子の本心をききたい」

雨宮は私の横で、つとめて感情をおさえた声でいった。

顔みしりの町の人が、時々、意味あり気な目つきをして、わざわざ軽い会釈をして通りすぎた。小さな町では、もうすでに、私が母のうちへ帰っているのは知れわたっていた。母が隠そうとしすぎるので、かえって、かぎつけた人たちは意地になって云いふらした。

私の学生時代の悪評判などが、今更のように思い出され、人の噂にかえり咲いていた。私と雨宮が、他人目《ひとめ》には仲睦じい夫婦然と歩いている。それだけでも、恰好な話題になった。

「どこへ行くの」

私の声はふて腐れて聞えた。雨宮はむっとしたが、軽く息をはきだし、心の平静を保とうと努力していた。

「喫茶店もだめだし……公園に行ってみないか」

夜の公園へ、離婚話をするために夫婦が出かけていく。それもいいだろう。濃密な公園の闇の所々に、ガス燈風にデザインした街燈がついて、白っぽく歩道が浮び上った。噴水が、青い花火のように燦《きらめ》いている小さな広場に、きゃしゃな白ぬりのベンチが並んでいた。

雨宮は、私の肩をつかむと、ベンチの一つに押えつけて坐らせ、荒々しく唇をおしつけてきた。私は反射的に平手で雨宮の顔を打っていた。掌が雨宮の堅い顎と歯に当り、痺れるように痛かった。

「園子っ」

絶望的な雨宮の声がうめいた。

「お前は、そんなに、あいつに操を立てたいのか、夫の……夫のぼくに、お前のとる態度か」

私も絶望的な想いで、あえいだ。二人の間より、自分にむかって私は絶望していた。雨宮にそれがわかるわけはなかった。

「絶対、離婚は承知しないからな。お前があいつと心中したって、俺の妻だという鎖はといてやるものか」

「心は縛れないのよ」

「だから体を縛ってやるんだ。どうせ、お前たちは、世の中の掟《おきて》にそむいて、やってのけようとするんだろう。お前が馬鹿にしている世間の道徳や掟が、どれだけ、お前のいう自由な恋の邪魔をするか、見ればいいんだ」

その後ですぐ、雨宮は私の手にすがりつき、弱々しい声で、誠のために思い直してくれと訴えつづけた。自分はどんなことでも堪えしのぶ、誠のために、お前も堪えてくれ……。

私は石になりもう口をきかなかった。

半月ほど経ち、また私は家を出た。

今度は事前に、友奴のところへ、少しずつ着がえなど運びだしておいた。例の肴屋の小僧が、役に立った。

私は真直ぐ、東京の留美子の家へ行った。向島に小粋な家を構え、留美子は、九州の炭鉱主とかの老人の妾になっていた。子供の時の美貌の蕾が、はらりと開ききり、まぶしいほどの女になっていた。十九や二十とは見えない成熟した女が匂うが、口を開くと、目と眉のあたりに、子供っぽい愛らしさが滲みだしてくる。

「おかあさんから、何度も手紙もらって、ずいぶん待ってたのよ」

五間ばかりの二階建の家は、まだ真新しく、妾宅よりも、新婚の家のように、すがすがしい感じがした。

「すてきねえ、おねえさん。あたし、昔っから、おねえさんは何かしでかす人だと思ってたわ。雨宮さんとおさまってるのが不思議だなあって——。ね、おねえさんのいい人ってどんな人」

留美子は私の事件を勝手にあれこれ想像して、まるで映画のメロドラマでも観るふうに面白がった。私の来るのを待ちかね、留美子は三晩泊りの旅に出ることにしていた。使っている老婆は、千葉の息子のうちへ五日の休みを与えて帰した。私の頼まれた留守番は、不意うちに、夜ふけかかってくる九州からの電話に、留美子の代役で、出てくれというのであった。

「だって、声でわかっちゃうじゃないの」

「大丈夫なのよ。相手は音痴なんですからね。女の声だと、聞きわけも出来やしないのよ。前にも一度この手使ったの。おねえさんとあたしの声、似てる方だわ。要領はこうなの」

留美子は、九州へ電話を申しこんで、男をよび出した。別に用もなく、ただ逢いたいわあとか、声を聞きたかったのとか、今度来る時、博多の帯を持ってきてくれとか、埒《らち》もないことばかり、べらべらしゃべって、最後に、

「このごろ、こっち、流感がはやってるのよ。あたしも少しのどがへんになっちゃった」

と言って、電話をきった。

「毎晩かかるの」

「ううん、不意にかけてくるのよ。ちゃんとうちにいるかどうか心配でしようがないの。一ヵ月に一度さえ来られないことが多いから、焼き餅焼いて大変なの。ま、よろしくお願いします。風邪ひいて、声が変だっていっておいてよ。一度くらいはかかってくるわ」

留美子が、学生服の男と旅に出た後へ、越智が着いた。

越智の腕の中で、私はからだを和らげ、ひっそりと目を開いていた。越智が静かに上半身をあげ、真上から私の眼をのぞきこんできた。和らいだ越智の眼の尋ねる意味に微笑で応えかけ、私はふっと胸の奥に痛みがはしるのを感じた。越智の場合と、雨宮の場合と、私のセックスの感応度が、どれだけの差をもったといえるだろう。小肥

りのなめらかな白い肌をもった雨宮と、筋肉質のひきしまった浅黒い肌の越智と、皮膚にうける感覚はちがっても、私の子宮が享《う》ける快楽になにほどの差があっただろう。越智は北林未亡人に対しても行ったであろう同じ動作、同じ順序で私のからだをさぐり、私のセックスに触れてくる。私は恋のあるなしにかかわらず、雨宮に応じたと同じ姿勢でからだを開き、じぶんを放棄し、子宮は恥しらずなうめき声をあげるのだ。私の瞼によみがえってくる黒いあの影、ポンペイの地下のミイラは、強姦する主人と、犯された女奴隷であったかもしれない。

人間は一番美しい憧れを心にいだいた時、どうして盗みや殺人とひとしなみに並べられる悪徳の一つの行為と同じ行為に、身をゆだねなければならないのだろう。越智と分ちあった快楽の名残りに、私は全身を熱くけだるくゆだねながら、私の恋が、潮のひくようにさめていくのを、ながめていた。

その時、九州からの電話のベルが、枕元に鳴りひびいたのは、私の恋の幕切れにふさわしい象徴的な一齣《ひとこま》であった。

「留美子、留美子かい」

「はい」

私の声は、咽喉にからまる濃い唾液でかすれた。越智が枕元の水さしから口いっぱいに水をふくみ、腹ばいになって電話を聞いている私の腰に片手をかけた。首をさしつけ、口うつしに私の咽喉に水を注ぎこんだ。越智と私は目を見合せ、必死に笑いをこらえた。

「変りないかね」

「…………」

「えっ、何聞えんよ。もっと大きな声で云いなさい」

「ええ、元気よ」

「ふうん、声がかすれとるね。風邪ひどいのか、出歩くと風邪がうつります。どこか行ったんじゃろ、え、留美子」

「ううん、おとなしくうちにいたわ」

「どうだか、わかったもんじゃない。ま、よろし。金はもうつくよ。ではお休み」

「お休みなさい」

「おいおい、どうした、お別れは忘れたんかい」

私は、留美子が最後に、チュッと口をとがらせて音を出したのを思いだした。いきなり越智の首をひきよせると、もう一度留美子の声をまねてお休みをいい、越智の唇に音をたててキスした。同時に受話器をガチャッと置いた。

そのまま、越智は私をひきよせた。胸の中に、塩でもつまったような、重くるしい、苦い想いで充たされながら、私はじぶんから目を閉じた。閉じた眦《まなじり》から熱いものが耳の方へ流れていった。

「どうしたの。何か思いだしたの」

「ううん、安心したの」

はじめて越智に嘘をついた。私は急に狂暴な情慾にかりたてられ、じぶんの皮膚をひきはがすような勢いで、破廉恥に越智にいどんでいった。何に対してか、私は報復の念に執《と》りつかれた一個の悪鬼のようにじぶんを感じた。かすかに抵抗を示した越智も、いつのまにか私の昏《くら》い情熱の火の中にまきこまれていった。

私は越智と共に、死を味わった。

気がついた時、部屋の中は水の底の薄明がたてこめていた。越智が柱にもたれ、煙草を吸っていた。私が目覚めているのに気付かず、越智は、じっと私の寝顔を見守っていた。強羅の夜、一晩中、そうやって私を見守った越智の姿が思いだされた。越智の頰に、ありありとやつれが滲み出て、彫の深い翳《かげ》の濃い顔が、悲しそうに見えた。

「何時」

「もう夕方だよ」

越智が壁のスイッチに手をのばそうとした。

「つけないで」

「……………」

「あたしたちねえ……」

私は越智の顔を見ないで、云いはじめた。

「いっしょにくらせないわねえ」

「……………」

「あなたもわかっているのよ。ね、今、そこでじっと考えてるのは、私の今感じてることと、おんなじなんでしょ」

「そうかもしれないね」

「そら、あなたは嘘を云えない人だからかわいそう……。人間って、人間の容《すがた》で生きていくには、のぞいちゃいけない深淵ってものがあるんじゃないかしら。難しい言葉で云えないけど、人間って生れる前に、ちゃんと、それを云い渡されて来ているような気がするの。だれでも、それを無意識に心得ているのよ。それを承知で、タブーにさからってみれば、もう人間からはみ出しちゃう。あたし、あなたと、その恐ろしいものをのぞいてしまった気がする」

「園子」

越智がはじめて、私の名を呼んだ。私は全身が痺れる感動で、目をつぶった。

「もう一度、呼んで……」

「そ、の、こ」

私は静かに泣きだした。越智への恋は終った。終った時、越智は恋のはじまる優しさをこめ、私の名前を呼んでいる。

第四章

留美子の世話で、私は銀座裏の帽子店へ勤めた。

そこのマダムが、留美子の情人と縁つづきだとの話であった。大柄な、どこか混血めいた感じのする肉感的なマダムは、半分道楽のように店をやっていた。間口の狭い小粋な店で、楽な勤めであった。何よりも、帽子を買いにくる人の前では、しゃべる必要の少ないのが私にむいていた。売れのこった帽子に、チュールや造花で、いたずら半分、私が手を加えたものが、二つ三つ、ひどいでたらめな値で売れていった。マダムは大げさな喜び方をして、私にデザインの才能があるとほめちぎった。

　マダムの主人は絵描きであった。時々ふらりと店をのぞきに来る。派手な背広を着て、いつもパイプを離さなかった。フランス製のベレーを、とっかえひっかえ替える趣味があるらしかった。越智と暮す気がなくなってからは、やはり、働いてたべるよりほか、じぶんの好き勝手に出来る道はなかった。バーやキャバレーは、女の朋輩関係のうるさssを考えただけで、はじめから行かなかった。

　私と越智のこんな成行は、北林未亡人には不安を抱かせ、雨宮には希望を抱かせた。越智は、時々上京して来たが、私たちの間は恋人同士ではなく、情人だった。

「私はもう、どうせあなたたちより長くは生きられないのだもの。お願い、私が死ぬまで、園子さんの所にいかないで」

　北林未亡人が、越智に泣いて頼むという。過去の幾度かの経験で、薬を用いることの愚を知っている未亡人は、越智をじぶんにつなぎ止める手段に、安全かみそりの刃を使った。狂言と本当のけじめがつかなくなるほど逆上するので、越智はその度、北林未亡人の命がけの執念に負けてしまうのだ。

「きみは、どうして、あの女の半分も、ぼくをひっぱってくれないのだ」

越智は私の上で、身もだえしてうめくのであった。私は、越智の苦痛が静まるよう、いっそう、優しさをこめて抱きしめた。

越智の妻とか恋人とかでなく、私は情婦という名が一ばんぴったり感じられた。情夫の情婦か……越智が自嘲をこめてそんな言葉を口にすると、云いかえす言葉もみつからず、ため息をつく。越智が北林未亡人の腕の中から、永久に逃れられないだろうとは、私も越智と同じ程度に信じていた。軽蔑してくれ、責めてくれと、狂う夜が、ごくまれに越智を襲った。私はただ、越智の弱さや優しさ、ずるさ、卑怯さ、そのどれもが、じぶんの膚《はだ》にかくれている、ほくろのように親しみぶかく、いとしかった。

嫉妬は愛情のバロメーターだといわれるが、私はそれを信じない。北林未亡人に対して、私はもう、まったく嫉妬を感じない。越智はそれを物足りなく思うらしく、私を責める。あなたを恋していた頃は妬《や》けたけれど、今は、恋はないのだから、妬けないのだと私は云いながら、それでも、越智と私の間には、愛はあるのだと考えていた。

越智と私はあまりにも同じ「質」であった。鏡の中のじぶんの像を愛するように、お互いを愛さずにはいられない――同じ意味で、その像を嫌悪せずにはいられず、お互いを憎む瞬間があった。六十になっても、恋の火で四十の若さを保ち、心は三十女の妬情に燃え狂う北林未亡人に、私はむしろ、ほとんど尊敬に近い気持をかくしていた。恋をするためにだけ、この世に送られてきた人があるとすれば、北林未亡人をこそ指すのであろう。

真白な鳥の羽を重ねあわせてつくった細いお皿のようなカクテルハットに、チュールをぬいつける……。私は、人の気配に、習慣的に浮んでくる微笑の顔をあげた。入口のウインドのわきに、北林未亡人が、はにかみとも泣き笑いともとれる表情で、ぼんやりたたずんでいた。帽子をおいて立ち上る私の方へ、北林未亡人は、頼りない歩き方ですすんで来た。

「とうとう、来ちゃったわ」

一瞬、未亡人が、私の母よりも年上なのを、完全に忘れさっていた。未亡人の全身から発散する雰囲気は、それほど若々しく、むしろ、ほのかな初々しささえ感じさせた。

「越智が居ないので、あなたにお逢いしたくて、たまらなくなったの」

越智は二ヵ月の予定でアメリカへ出張していた。越智を恋しがる気持が、未亡人の敵である私をさえ、越智につながるというわけで、懐しくさせるのだろう。

勤めが終って、私は約束通り、未亡人の泊っているホテルへ訪ねていった。新橋のそこは、越智が上京の度滞在するホテルだった。未亡人の部屋も、私と越智がすごした部屋かもしれなかった。印象に薄い壁の花の絵に、おぼろな記憶がのこっていた。京都では、未亡人にのこっている東京風の雰囲気が、きりっとした粋な感じを浮き上らせていた。東京でみると、しみついた関西風の、おっとりとやわらかな持味が、未亡人の小肥りのからだから、体臭のようにゆらめきだすのは不思議だった。

「あなたは、また、お若くなったわ」

邪心のない優しさで、私をなつかしく、ながめつくす。

「怨んでいらっしゃるでしょうね、わたくしを――」

未亡人は肩で息をする。この年になって、まだ越智への執着が絶ちきれないじぶんを嘲ってくれと、未亡人は私にかきくどいた。

「園子さん、信じて下さいな。わたくしは、あなたをほんとに好きなのよ。はじめてお逢いした時から、同じ色の人間だと思ったんですよ。越智には散々泣かされて来ました。でも、その時々の越智の相手には、わたくし、不思議と自信がありましたの」

北林未亡人が、私の場合に、決定的な打撃をうけたのは、どんなに不自然な装い方や摂生をしても、肉体的な老いを防ぎきれなくなったためだろうか。

「越智がいない淋しさからじゃなく、どうしてもお逢いしたくなったの。越智のいない時でなければ、きれいな心で、あなたにおわびもできないと思ったの」

「おっしゃらないで。あたし、何のおわびをいっていただくこともないんです。あやまらなければならないのは、あたしの方かもしれませんわ。でもあたし、あやまらないつもり。あの人を、奥さまからうばったりする気持ありませんわ」

「園子さん……」

未亡人の涙のうかんだ目に、瞬間、ずるくうかがうようなかげが走った。未亡人の吉祥天女風の顔に、卑屈な色が刷《は》かれた。表情は醜かった。

「越智がわたくしのところに居てくれるのは、もうあわれみだけなんですよ。それにあの人の弱さ……。そうとわかっても、やっぱり越智に去られるのを想像すると、からだが凍ってしまいそうなの」

私は、老いの恋の口説《くぜつ》など、聞かしてほしくもなかった。けれど未亡人が泣くように頼むと、まるで越智の身代りになってやらねばならないような錯覚がおきる。私は越智の抵抗のなさや、弱さまで真似しなければならない気がしてくるのだった。

その夜、北林未亡人は、一種の情熱をこめて、まめまめしく私に仕えた。バスの用意をする。食物をつくる。ガウンを着せかける。ベッドに香水をまく。旅に出てホテルに泊りながら、北林未亡人はたちまち、ホテルの一室を未亡人の色で塗りかえ、家庭的なものに変貌させてしまう。未亡人は呆れるほど長いバスをつかい、全身、桜色になって部屋に戻って来た。私に着せた中国風スタイルのピンクのガウンも、未亡人が着ている藤紫のナイロンのガウンも、私の店からホテルへ帰るまでの買物だった。

未亡人はテーブルに肘をつき、ひとりでコニャックをのんだ。

「越智が今夜のこと知ったら、何ていうでしょうね。わたくし、越智を中にして、あなたとならいっしょにくらせるような気がするの」

コニャックに酔ったのだろうと、私は返事もしないで、白い天井を見上げていた。

「ね、そうお思いにならない」

「思わないわ」

「まあ、なぜ、わたくしが妬きもちやきだから」

「それもありますけど、あたしもう、あの人への恋は終ってるんですもの」

「愛していないとおっしゃるの、越智を」

「愛していないとはいいませんわ。この気持、やっぱり、愛の一種なんでしょう。でも、決して恋でないことだけはたしかですわ。あなたは、あたしに関するかぎり、安心してらしていいんですのに」

私はしゃべりすぎたと思った。言葉の虚しさが、じぶんにはねかえり、私は不機嫌にだまりこんだ。北林未亡人は、サイドテーブルのむこうから、しばらくそんな私の様子をうかがっているふうだった。やがて、ゆらりと立ち上ると、壁のスイッチをひねった。部屋の灯りが消え、ベッドの上部の間接照明がついた。広いダブルベッドの中へ、北林未亡人が入って来た。コニャックの酔いのせいか、それともいつも未亡人のからだはそうなのか、そばへよっただけで、熱っぽさが、こもり、こっちのからだまで熱くなりそうであった。

私は奇妙な夢を見たのだろうか。未亡人が越智との二十年を、こまごまと、実にこまごまと語りつづけるのを、興味も感動もなく聞いているうちいつか私は眠ったようだ。気がついた時、胸の上に重苦しさを覚えた。瞬間、越智と寝ているのかと思ったが、すぐ、天井の白さが、ホテルで、北林未亡人のベッドに入ったのを思いださせた。胸の重さは、未亡人の腕だった。未亡人は眠っていない。私の耳もとに、熱い息があえいでいた。私はなぜ未亡人の息を淫らだと感じなかったのかわからない。しだいに露になっていく白い肉体が、薄明の中で、身もだえしてのたうつのを、私はほとんど讃嘆の目でながいことみつめていたような気がする。

女に生れたことの宿業と哀しみで、未亡人のからだは、ぼってりと重みをたたえている。年齢にさからって衰えない官能の無慚《むざん》さが、そこに青い妖火をあげていた。未亡人の昏い情熱に誘いこまれたのか、私のうちに越智の魂を未亡人がよびよせたのか、私にはわからなかった。私は、未亡人が燃えすすみ無になっていく過程、悶絶する顔の歪みきった醜さ、肉慾がおとしいれた仮死からうかび上ってくる時の瞳のこの世ならぬ優しさ……など……あますところなく、微細にみとどけていた。鏡に映すじぶんよりも、もっとなまなましい力で、私に迫ってきた。私はあやうく、未亡人に愛されているのではないかとさえ、思いかけた。あのような偽りの愛撫の中でも、未亡人の官能は完全に燃焼しつくすのか。枕に横顔を埋めうつ伏せになって、磯にはりついた藻のように長々と身をのばしている未亡人の寝姿に、私ははじめて淫らなものを感じた。私が身支度をして部屋を出るまで、ベッドの上の未亡人は全然気づかなかった。

雨宮もまた、私を訪ねてきた。私の町出身のファッションモデルが、私を帽子店に発見して、居所が伝わったのだ。

店の前のバーの立看板のかげで、うろうろしている男が雨宮だった。私は反射的に微笑みかけていた。実際、私は思いがけなく見出した雨宮の、堂々とした体つき、身だしなみのいい服装、眼鏡の光る端麗な顔に、懐しさを感じたのだ。雨宮は、私の微笑に、急に勇気を得たらしく、大股に真直ぐ店の中へ入って来た。

「ちょっとでいい、出て話せない」

私は、ちょうど来合せていた材料屋の娘に、留守をあずけ、近くの喫茶店へ雨宮と入った。

「すこしお肥りになったのね」

「うん、ばか忙しいくせに肥るんだよ。もうとまってくれないと、苦しくなるね」

雨宮は、小さなテーブルをはさんで向いあっているのが、どうにも照れ臭い様子で、落ちつきがなかった。

「誠、元気にしてるよ」

「そう……」

「気味が悪い位、園子のことは口にしない」

「蓉ちゃんになついてるからでしょ」

「いいや、あれはデリケートな子だよ。云ってはならないと、感じてるんだ」

あとの話は、これまで通りの順序だった。子供のために、がまんし合っていこうという雨宮に、私はじぶんでもわからない強情さで、どうしたっていやだと答える。雨宮はしだいに激昂し、はては醜い口論になる。

「やっぱり、来るんじゃなかった」

雨宮は憎悪のこもった目を、私の上に叩きつけた。

「蓉子さんのいった通りだ。お前は腹の底からの冷血漢だ」

「ねえ、こんなこと、私の云えた義理じゃないけど、あなたたち結婚してくれないかしら」

「あなたたちとは誰だ」

「もちろん、あなたと蓉子と」

「ばかっ、そんな指図の出来るお前か」

雨宮の極端な憤激の仕方で、私は、雨宮と蓉子の仲にすでに何かがおこっていると、かぎとった。

「だから、そう云ってるんじゃないの……。でも、そうなるのなら、私の籍なんか、勝手にぬいて下さいね。いいんですよ、相談なんか――」

雨宮は青ざめ、煙草をとろうとする指が気の毒なほどふるえた。何かを必死に堪えているふうだった。私の顔をみないで、雨宮が云った。

「越智は、卑怯な奴だ。卑怯じゃないか――これじゃ、結局、一番、貧乏くじひいたのが園子だ」

眼鏡のかげから、善良そのものの眼が、おずおず私をうかがった。

「いいのよ、自業自得ですもの。あたしはこれで、いいのよ」

雨宮の眼が、哀しそうにまたたいた。私は急に、雨宮の心にしこっているかたまりを、ときほぐしてやりたい優しさにあふれて来た。

「ね、あなた、蓉ちゃんと、もう……そうなんでしょ」

ぎくっとした雨宮が、顔もあげず、頬を痙攣させた。

「蓉子さんは、園子が帰ってくるなら、それでもいいといってくれたんだ……。どうしてもだめな場合は、はっきりしようって」

「そりゃそうよ。あの子はあたしと違うんですもの。あいまいにしないで、ちゃんと結婚してやってちょうだい。あたしだってその方が、安心だわ」

「お前は、ほんとに、ぼくを愛していなかったんだなあ」

雨宮の声には、今、はじめてわかったという響きがこもっていた。私は、テーブルの上のじぶんの手を、じっとみつめた。私の人さし指は、テーブルのガラスの面に、雨宮の言葉を、速記記号でつづっていた。三ヵ月前から習っている速記だ。これで食べられるようになったら、もう一度、じぶんの居所を、雨宮たちから隠さなければならないと考えていた。

越智は、何年たっても、上京の度、必ず、前もって電話で都合を訊いてからでなければ、私を訪ねない。私たちの間に恋はなくなったけれど、こうして、数年もの歳月、どの季節にも逢ってきただけの、愛はあった。

「今夜、あいてる」

それが、越智の挨拶のはじめの言葉だった。ここ、二年余り、その一言には、複雑な意味が加わっていた。越智には、何も隠しはしないのだ。隠す必要も感じなかったし、隠したところで、私の事なら、私じしんよりも識りつくしている越智に隠しおおせるものではなかった。

北林未亡人との一夜があってから、それまでよりもいっそう、越智と未亡人との宿命的な縁の強さを考えさせられた。越智と私の生活など、思い描きさえしなかった。未亡人はもう、どんなに隠しても、初老にふさわしく老いが滲み出ている。けれども、越智を離すまいとする執念は、数年前にくらべ、少しも衰えをみせていなかった。私との一夜があってから、未亡人はふっつり、自殺さわぎを起さなくなった。さすがに、あの夜のことは越智にだまっていたので、そんな現象を越智は、未亡人の気力の衰えだろうと解釈していた。私はあの朝、私の出た後で、未亡人が死ななかった以上、二度と自殺さわぎのおこる筈はないと思っていた。

あのことのあとで、越智は、私の頭を胸にひきよせ、髪を愛撫しながら、こんなふうに囁きかける。

「それで、ちかごろは、相変らずかい」

「ええ」

「ふしぎに病気しないものだね。それだけは注意したがいいよ」

「皮肉」

「いいや、大真面目だ」

私はいつからか、越智以外の男と、一度きりのきまりで、数えきれないほど、そういう時間をすごしていた。男は、私のもと勤めていた帽子店のマダムが、次々と紹介してよこした。速記でたべられるようになり、帽子店はやめていた。住いも、それまでの間借りの部屋を引払い、鷺宮のアパートに移った。

その頃だった。婦人雑誌の「船員の妻たち」という座談会の速記を終って帰ると、留守にマダムが訪ねてきたらしく、ドアの下に置手紙がさしこまれていた。八時に新宿歌舞伎町の喫茶店Rに来てくれと書いてあった。すぐ行ってようやく間にあう時間だった。Rは深夜喫茶の看板の出ている薄暗い店だ。背の高いロマンス椅子が、壁際に同じ方向に向かって並んでいる。その中ほどの椅子から、白い手が招いた。マダムだ。マダムにくっついて、見たことのない若い男がいた。

「ああよかった。もっと遅くまで仕事があるんじゃないかと、はらはらしてたのよ」

マダムはそれが特徴の早口で、云いたいことを先にしゃべった。二人掛けには広すぎる椅子に、私をわりこませ、別に声を小さくもしないで話しつづけた。

「簡単に云えばさ、今夜、この子と遊んでやってくれない。箱根へつれてってあげる約束だったけど、どうしてもだめになっちゃったの。ね、あんたも知ってるヴァロアとつきあわなければならなくなったのよ。お願いだわ。遊興費はもちろん、こっち持ち」

マダムは、せっかちに、もうハンドバッグの口をあけた。私の給料の三、四倍はありそうな札をひっぱりだし、私の手に渡した。ヴァロアというフランス人は、帽子のファーを扱っている貿易商だった。最近、アクセサリーも扱いだし、マダムは鷲鼻の痩せたこの外人と、格別親しくしていた。

「あ、時間ぎりぎりよ。あの人、時間にうるさくって――」

マダムは、私の膝をのりこえるようにして、ボックスを出た。

「じゃ、たのんだわ。淳ちゃん、明後日待ってるわ」

云うだけ云って、マダムは、青い灯がにじんでいる階段の口へ沈んでいってしまった。マダムがいなくなると、青年は、私の煙草に火をつけてくれたり、コカコーラをたのんだり、灰皿を替えさせたり、こまごま気を配った。色が白く、きゃしゃで、女のようなやさしい声をもっていた。いかにもマダムが可愛がりそうな、燕然とした男だった。慇懃《いんぎん》な物腰の中に、妙に投げやりな冷淡さがあって、それが情事になれた中年女の心をそそるのかもしれない。

「ほんとは、あなたをよく知ってるんですよ」

「どうして」

「しょっちゅう、お店の前のバーにいってるから――あのへんのバーでは、帽子屋なんかにもったいないって、みんな噂してますよ。パトロンみつけて、バーを出せばいいのに」

細いやさしい声でしゃべりながら、淳一の顔は、お面のように動かない。腹話術の人形がしゃべる、奇妙な相手の心をいらだたせる話し方だった。

「あいつ、いくらよこしたの」

淳一は、まだテーブルにのったままの札束をす早くとりあげ、器用な指さばきで数えた。

「ちえっ、けちになりゃあがったな、あのばばあ」

淳一は、さっさと札を自分のポケットにねじこんだ。

「出ましょう。まず、のまなきゃあ」

マダムのよこした遊興費と名づけたお金で、私たちは、バーでのみ、ナイトクラブへいき、ホテルへ入った。

私はどこででも、愉しくすごした。淳一は、バーのスタンドの椅子で、私の腰に手を廻してきた。ナイトクラブで踊りながら、耳から頸へ唇をつけてきた。踊り方にしだいに意味をもたせ、からだを使いだした。私はするままにさせておいた。私の心は、このごろずっと、眠りつづけていたのだ。速記の仕事は、しだいに多くなり、思いがけないほど忙しく、私は連日、仕事に追われていた。機械的なこの仕事は、耳と手さえ動かしていればよかった。私の心が眠っていようが、死んでいようがかまわなかった。私の昔とつながる誰からも身をかくし、私は広い東京という海の中に漂っている、難破船の木片《きぎれ》のように孤独だった。そんな淋しさの中でだけ、私は安らげるのかもしれなかった。

淳一は私の下着をぬがせながら、ふっと手をとめて鼻白んだ。それからくすっと笑った。

「簡単なんだな。みんな馬鹿みたいだ。あんたのこと、貞女だって評判なんだぜ。京都の旦那、めったに来ないんだってね。それでちっとも浮気しないからさ」

「旦那じゃないのよ、あの人」

「じゃ、何さ。マダムの店やめたの、旦那がアパートもたせたんじゃなかったの」

私は、だまって笑った。越智の顔が浮んだが、心に何の痛みもなかった。その若者のからだの下でさえ、私の子宮はうめき声を押えきれず、私は快楽の極に待つあの甘美な失神に、夜明けまでに二度もおちいった。

昼近い陽の射しこむ部屋に、私たちはほとんど同時に目覚めた。全身の血管に、爽やかな風が流れている。爪の先まで軽く、私はじぶんの目が澄んでいるのを感じた。淳一も毛布の上に長々と手をのばして、大きなあくびをした。昨夜灯の下ばかりでみた顔よりは、もっと子供っぽい表情で、瑞々しい皮膚をしていた。淳一の口から、私はマダムのもう一つの商売を知った。

「へえ、じゃ、全然知らなかったの。コールガールの斡旋が本職なんだよ」

「知らなかったわ」

「ふうん。マダムだって、あんたが、店をやめたのは、それを知ったからだと勘ぐってたぜ」

絵描きの亭主も、ヴァロア氏も、つまりはマダムの本職の片腕なのだ。淳一はまだ私の知らない話を次から次としてくれた。私もマダムに、この男を通して、要領よく試験されたのかもしれなかった。

淳一という男が、私をとやかく報告したので、一週間もしないうち、また一人の男が廻されてきた。

愛もなく、ただふれあう、それらの男との時間が、私には次第に必要になってきた。金をとらなければ、からだを売っているのではない——私はじぶんで、云いわけをじぶんにあたえていた。雨宮のもとをでてから、私はいつでも貧しかったけれど、じぶんを売ってまで生活の資に足したいほど、気持の上では貧しくなかった。

淳一とはその後も、仲のよい友だちになった。軽薄さが、一種の美徳になっている気のいい若者は、私が流感で倒れた時などは、泊りこみで看病した。下手な看護婦や、家政婦よりも、ずっと行きとどいた看病であった。あのはじめての夜から二日たち、もう一度といったが、私があたし、そういうんじゃないのよ。あの晩は、あんたを嫌いじゃなかっただけ。誤解しないでね、というと、あとは決して、そぶりもみせなかった。熱で汗みずくになったからだを、裸にされ、ふいてもらったり、着物を着せかえてもらったりする時、若い淳一の掌に、電気のような磁気の走るのが、ありあり感じられた。淳一も私も、けろっとした顔で、それ以上触れはしなかった。

マダムが私にまわしてくる男は、いつのまにか、中年以上の、堂々とした紳士たちになっていた。私はその男たちの顔を、新聞や、週刊誌で発見することがあった。私と寝た男同士が、たまたま、公開論争などをしているのを見る。私の皮膚が覚えている、その男たちのさまざまを思いだし、人には語れないおかしさがこみあげてくるのだった。

どの男も、結局は同じ顔になり、同じ快楽のもたらす熱い息をはいた。男が、そこにたどりつく経緯は、顔の違いのように、十人が十人、好みの小さな癖をみせた。けれども最後の瞬間の男は、鋳型《いがた》で造りだされたように、美しい男も醜男《ぶおとこ》も、同じ一つの顔になった。男も女も、その極まりに、思わず目をふさぐのは、極まりの醜いじぶんの顔を、本能的に識っているからなのだ。見つめる相手の目をお互い、怖れるからなのだ。

いつのころからか、私は、電車の中や道で逢う男の顔や姿態で、その男の性の特徴を、はっきり読みとれるようになっていた。

これこそ、私への何かの罰であったのだろうか。

私はマダムの指一つで、チェスの駒のように動かされる、あのコールガールとはちがうのだ。ただ一度しかあわぬ行きずりの男と、何もかも忘れて没頭し、あの甘美な「死」の中をくぐって甦《よみがえ》る、瞬間のいのちの充実を実感したいのだ。その時を――。そんな云いわけを、じぶんにしておきたがる私のなかには、まだ、悪徳への本能的な怕《おそ》れがひそんでいた。恋のない私に、守るべき貞潔があるだろうかと、うそぶきながら、奇妙なうしろめたさがのこっていた。

ある日、私はデパートの化粧品売場の前に立っていた。

ふと顔をあげると、売子の背後を上っていくエスカレーターの上に、蓉子の姿を認めた。二列に植えつけられた人形のように、行儀よく並んで上っていく人々の中で、蓉子はくっきりと目に立った。少し顎をつき出し、上向きに白い頸をのばしている横顔は、落着いて自信に充ちた表情であった。美しくなったと思った。一人で東京へ買物にでも来たのだろう――もう一度見あげた時、私は蓉子の横で、黒いベルトにつかまり、こっちを見下している男の子に気づいた。髪をのばして、小さな背広を着こみ、蝶ネクタイを結んだ子供の顔に、私は一とき目をそそいだ。誠だと気がつくまでには、時間がかかった。二年近くあわないうち、誠は見ちがえるほど面がわりしていた。急に背丈がのびたせいか、丸顔だったのが、雨宮に似た面長になり、髪の刈りかたもちがい、私の記憶にある誠の顔とは、あまりにもかけはなれてしまった。誠が私の方に目をつけた。無感動ともみえる目つきで、妙にまばたきをせず、じっとみつめる。蓉子の片手が、小さな誠の肩をしっかりおさえているのに、ようやく私は気がついた。誠はくるっと、顔のむきをかえ、蓉子と同じに、顎をつきだし上向きの横顔をみせた。たちまち二人の姿は、完全に、私の視野から消えた。

売子が、薄紫のローションのびんを私の前におき、けげんそうに私の表情をみつめていた。

越智に逢った時、私は思いだして、誠の話をした。

「あれじゃ、あと数年もたったら、同じ電車でとなりあったって、親子だと気がつかないわね、お互いに——」

「ショックだったの」

「ううん、そんなきわだった感情じゃなかったけど……」

それっきり、その話はしなかった。越智もだまった。二人は安息《やすらぎ》あい、よりそって横たわっていた。私には、越智が今、何を考えているのかわかった。私たちの子どもを産もうと、越智が一度だけ云った。その子にすがって、越智も私も今の境涯から浮び出ようというのであった。

「ほしくないわ」

私はにべもない断り方をした。越智はどうとったのか、あとは一度も云いださなかった。誠以外の子どもを産む気持は、私にはもう絶対なかった。一度、雑種と交わってしまえば、純粋種の犬や牛の雌は、それだけで、値打がなくなるのだ。生理的にどう説明されても、人間の女だけに、特別な純潔のあり方が存在するとも思われない。じぶんの目に見えない処女膜のあるなしで、処女性を云々されるのが、私は納得出来なかったが、匂いも味も、色の濃度も一人一人違う、さまざまな男のザーメンを、体内に吸収した今——私は生理的実感で、自分の血の純潔が、失われさったのを感じているのだった。

幾人の男と、どうしてみても、私の心には、精巧な硬質ガラスでつくられたような円い真空の球があった。その中に、もう一人の私の小さな像が、ひっそりと坐っている。私の肉体を通りすぎる、どんな事とも無関係に生きている気がしてならないそのもう一人の私は、真裸で、細々と薄い肩を落している。誠が私の胎内の闇の中で、ひっそりじぶんの脚をだきかかえていたと同じ姿勢で、膝に額をおしつけ、うずくまっているのだ。

何に対しての云いわけだろう。一つかみほどの小さな真空の中に、透明無垢な空間をのこし、そこにもう一人のじぶんを閉じこめ、生かしておかなければならないとは──。まわりを流れる私の血の濁りが増せば増すほど、もう一人の私を抱いている円い空間の透明度が、礦物のような硬度をましていくのだった。私には想像される。私はこれでせい一杯だ。私にはもう子どもを胎内に抱く余裕がなかった。五百羅漢が、交わった男の顔に見えたという西鶴の女の恐怖よりも、その女が、もしも子どもを産み、生れた子の顔の中に、過去の男の目鼻のすべてを見る瞬間の怖ろしさが、どれほど凄絶なのだろうかと。

「あたし、このごろ、お金もらわないと、した気がしなくなったのよ」

越智はびくっと、からだをふるわせると、のしかかるように眼の中をのぞきこんできた。

「どういう意味だ」

私から、あのかすかな、それでいて執拗なうしろめたさをとりさってくれた男のことを、越智に語るのに躊躇はなかった。

その男は六十をすぎていたらしい。汗まで清潔な匂いがするような、身だしなみのいい老紳士だった。マダムに指定されたのは、伊豆の海辺のホテルであった。口数は少なく、いつもおだやかな微笑を目のすみに浮べている。女に対する態度は、身についた習慣になり、物柔らかで丁寧だった。

美しい顔ではないけれど、染めあげたような白髪がしっくりと融けあい、なつかしい顔をしていた。私は一目で、ほとんど越智と同じくらい、老紳士の顔が気にいった。私たちは、海辺を歩き、ゴルフを少しばかりし、ホテルのバーでお酒をのんだ。

部屋に入って私を抱き、

「香水をつけないいんだね」

私の髪をかきあげ、衿足に唇をつけた。薄い私の体臭を吸いとるように大きく息をした。私の薄い匂いを教えたのは越智だ。私の肌には香水をつけない方がいいと教えたのも越智だ。私は別の男に逢っていて、越智を思いださせられるのは、あまり好きでなかった。私は少し不機嫌な顔をした。私は窓にもたれ、海を見おろした。男は大きな掌で肩をだいた。爽やかな味のキスであった。灯をつける前の、物の象《かたち》がすべてやさしく滲む光の中で、私たちはベッドにあがった。スケジュールのない旅の、のどかに贅沢な感じの快楽が、ゆるい波になり、幾重にも幾重にも私をゆさぶりつづけた。私はまたしても、見もしらない美しい島へうちあげられた。気がつくと、ながいあいだ私をみつめていたらしい男の目に、うすい涙がたまっていた。思慮深そうな落ちついた目の色だった。

たそがれの光は、もう夜の灯に変っていた。私は無意識に微笑んでいた。

「きみほどの女は、しらない」

男は低い声で、ひとりごとのようにつぶやいた。

「私は世界もずいぶん歩き、さまざまな女をしっているつもりだ……。しかし、きみほどの女はしらない」

男は繰返していった。大きな掌が言葉の伴奏のように、私を愛撫した。「きみのこんな女らしさ、女の完璧さは、私のように、人生のほとんど終りに近づいた者の目には、怪しくみえるより、痛々しい……。きみはおそらく、きみの恵まれた稀有な官能に、身を滅ぼされるよ。それが私には見える。それだけに、きみがいじらしくてどうしてあげてよいかわからないのだ」

老いた男は、もう一度私を、それ以上優しく扱えまいといったふうに抱きよせた。

私の胸に、柔らかな白髪の頭をうずめ、うわごとのように囁いた。かすかな、気配ほどのひくい声であったけれど、私は聴いてしまった。

「かんぺきな……しょうふ……」

いきなり、全身の皮膚をはぎとられる、痛みと寒さが私を襲った。

分厚な札の感触が、掌におしつけられた時、不思議な感動が、全身を貫いて走った。

その老人から、はじめて、私は金を受けとった。

その金で私は生れてはじめて、飛行機に乗った。

東京から北海道へ、北海道から九州へ――

純粋に娼婦として誕生した記念の金は、その空の旅できれいさっぱり遣いはたした。

私は今、男からためらわず、金を受取る。

「このごろ、あなた以外の男は、みんなあれにしか見えないわ」

越智にそんなことを、あけすけにいう。私には恋だの愛だの、思いつめた目の色は遠々しいものになっていた。娼婦という名に、じぶんをのめりこませた今は、ぬるま湯にひたっているような、けだるい安息があった。

雨宮と蓉子が、ようやく結婚したと噂をきいた気もするが、私にはもう無縁の世界の出来事だ。私は何年も前から母の家にも、居所をしらせなくなっている。科学がどこまで進んでも、人間は男と女の単位になるかぎり、劫初《ごうしょ》いらいの同じ哀しい姿勢をとりつづけている。あの老人が予言したような、私のほろびの日は、案外、明日の日かもしれない。

死というものを、私は、セックスの極におとずれる、あの精神の断絶の実感でしか想像することができないのだ。どこかのホテルの片すみで、その夜だけの男と枕を共にしながら、ある朝、私が冷たくなっている……もう何度となく描いた私の死にざまにも私は怯《おび》えない。

こんな私にも、人しれぬ怕れがたったひとつのこっている。私が死んで焼かれたあと、白いかぼそい骨のかげに、私の子宮だけが、ぶすぶすと悪臭を放ち、焼けのこるのではあるまいか。

解説

川上弘美

作者瀬戸内さんご自身もいくつかの場所で書いたり説明したりしていらっしゃるが、『花芯』は、毀誉褒貶《きよほうへん》の激しかった作品である。ことに発表当座は、「必要以上に『子宮』という言葉が使われている」という平野謙の文芸時評や、「時流にのったセンセーショナリズム」という批判的な匿名批評などのために、室生犀星、円地文子、吉行淳之介からの好意的な支持があったにもかかわらず、マスコミの向かい風を受けるようになってしまったと聞く。

平野謙の時評は、よく読んでみれば「私は以前この作者の短篇集をよんで、ゆきづまりの恋愛を書いた私小説ふうな作品にも好意をいだいたし、没落する中小企業と女事務員との恋愛を書いた作品も印象にのこった。」というただし書きのうえに述べられたものであり、決して瀬戸内晴美（当時）という作家を全否定するものではないはずなのだが、まだ評価の定まらない新人をどの枠にはめこむか、ということにおいては、結果としておそらく間違った方向に強い力を発動してしまったのだろう。そのなりゆきの不幸をかなしむと同時に、当時の評論家の持っていた影響力の大きさに驚く。

五十年ほども前のそのなりゆきのことを、この目で見ていないのに、ありありと想像できるような気がするのは、今も同じような「評判の一人歩き」がいたるところにあるからにちがいない。いい評判も、悪い風評も、どちらもある程度以上の大きさになると、一人歩きしてゆく。評判の元である実際の作品をまったく知らず、またきちんと理解しようとせず、あれこれ述べようとするおっちょこちょいが、いくたりも出てくる。それを「しかたないな」とため息をついてやり過ごすことができればいいのだが、作者というものは、どんなに的をはずれた言葉も（いいものも悪いものも）、頭では見当違いだとわかっていながら、どこかで正面から自分の身に引き受けてしまうところがあるのだ。また、引き受けてしまう体質であるからこそ、架空の物語をつくり出すなどという効率の悪いことをしているともいえる。

触れればすぐに跡がついてしまう白桃のような新人の皮膚に、だから当時の雑駁な「一人歩き後」の風評は、さぞつらい跡をつけたろうと推測されるし、またそれをも結局は自分の身にたくわえ身を通過させ、次第に作品を熟成させていった作者の力に、深く感服しもするのである。

そのような過去の風評もすっかりぬぐい去られた現在になって読んでみれば、『花芯』という作品は、まことにすっきりと整ったよい作品であるように、わたしには思われる。

『花芯』ばかりではない、この本書におさめられた五つの作品は、どれも短篇小説としての結構をしっかりとそなえている。数多い瀬戸内作品の中にあって、ことに小説らしい小説、といってもいいかもしれない。たとえば、丹精された庭にきれいに開いた水仙の花の群をみつけ、嬉しく驚いた時のような印象を、わたしはこの五つの短篇を読みながら持った。

なにより、言葉が清らかだ。「顔の瑕《きず》を気にし、なるたけ人に目だたせまいとする気の配りから、るいの挙措動作には自然、柔らかなしながそなわっていた。からだを真直ぐのばしていることはなく、稽古をつける時でさえ、微妙に膝をくずし、薄墨のかな文字のような嫋々《じょうじょう》とした線にやわらげている」(『いろ』)。「愛玲のピンク色のからだにもベッドのシーツにも、シッカロールの匂いがたちまよっていた。マッサージをつづけていたらしいみねの額に、汗とシッカロールでこすりつけた白い跡が、横なぐりにのこっていた」（『女子大生・曲愛玲』）。「金色のまつげが、数がよめるくらい、一本一本ぴんとそりかえり、その端に雫のように陽光がたまっていた」（『聖衣』）。「やわやわとふくらみはじめた薄紅の乳首のあたりに、水滴を弾かせながら、それらの少女は、まだ卑屈な羞恥になじまず、タオルでからだをかくそうともしないで、堂々と、大股に歩いて、湯船のふちをまたいでくるのでした」（『ざくろ』）。「越智の腕の中で、私はからだを和らげ、ひっそりと目を開いていた。越智が静かに上半身をあげ、真上から私の眼をのぞきこんできた。（中略）小肥りのなめらかな白い肌をもった雨宮と、筋肉質のひきしまった浅黒い肌の越智と、皮膚にうける感覚はちがっても、私の子宮が享《う》ける快楽になにほどの差があっただろう」（『花芯』）。

繊細な描写である。表現の方法によっては、とたんに卑しいものになってしまいうる場面を——それが性愛や身体の描写だから、ということだけでなく、たとえば一つの林檎を描写するときでさえ、表現によっては卑しいところに堕ちてしまう可能性はいつだってじゅうぶんにある——、言葉の選択の確かさとセンスのよさによって、濁りのない文章がつむぎだされている。どうして『花芯』という作品から、「子宮作家」などという下品なレッテルを考えついた人間がいたのだか、今となってはただただ首をひねるばかりだ。たぶんそんなレッテルを考えだすような精神性をそなえた人間が、今の世の中で『花芯』をはじめて読めば、「品がありすぎて困る」などと言いだすにちがいない。世の中のある部分はまことにうつろいやすい、ということだろう。

しかしそのうつろいやすい部分とは無関係に、結局は息ながく、瀬戸内さんの小説は在りつづけた。言葉も、内容も、これらの小説は、ぜんぜん古びていない。生き生きとした読後感を、どの小説も残す。そしてまた、どの小説もゆきとどいている。まるで、雅な旅館でゆかしい接待を受けているようだ。もしかしたら、ゆきとどきすぎといえるほどに。

かすかに、わたしは思うのだ。たとえば『花芯』の主人公は、それほどまでに「完璧な娼婦」の体を持っている必要があったのだろうか、と。この主人公、妙な言い方をさせてもらうなら、なにか完璧な演技の身についた女優のような感じがするのだ。『花芯』の主人公、という役を演じるのに必要な、肢体、しぐさ、口跡。それを得るために、たとえば必死にトレーニングをおこない、研鑽をつみ、素の自分を感じさせない技を身につけていった、その哀しさが、この女優にはあるような気がするのだ。『花芯』にレッテルを貼った人間たちのことがわからない、と書いた。しかし、もしかしたら、とも思うのだ。この女優の演じた舞台は、ほんとうにすばらしかった。そしてすばらしく完璧だったがゆえに、一部の人たちはレッテルを貼らざるをえなかったのではないか、とも。

『花芯』の内容は、精神性と肉体性の相剋、また、乖離、である。難しいテーマだ。あの時代にこのようなテーマをつきつめた女性は、皆無に等しかったはずだ。性愛のからむ小説は、場合によると人の微妙なコンプレックスを刺激しやすいものともいえる。思うに、ある読者たちは、おそらく怖かったのだ。まだまだ封建的な社会の中で、女性みずからが性愛をきちんと語った、という怖さもあろう。けれど、それ以上に、こんなに性愛に長けた——精神的にも肉体的にも——女性を、女性が平然と描いた、ということが、もっと怖かったのではないか。そんなふうにわたしは愚考するのだ。

もしもこの作品を、男性が書いたと仮定してみると、わかりやすいかもしれない。女性のことをよく知っている手練の男性が、ある意味での理想の女性を描いた作品。男性作者だったとしたら、そんなふうに、この作品は受け取られたのではないか？そんな女、いるわけないけど。でも夢の女の一つの形ではあるな。存在しない女にちがいないけれど、それだからこそ、安心していられるじゃないか。

しかし女性が書いたとなると、反対にものすごく怖いことになる。もしかしたら、こういう女、どこかにいるのだろうか？　いたら、今まで自分が信じてきた性愛にかんする諸々のことは、半分くらいは崩れてしまうんじゃないか？　そもそも、そんな女を男がときおり夢みる、などということを、女がこれほどよく知り尽くしているとは、どういうことなんだ？　そのうえ、その女はただの人形、型どおりの悪女じゃなくて、ふつうに生活もし、ふつうに思考もする、理性的な人間、「女」と括弧でくくってほっぽっておけるようなものではない、れっきとした人間、じゃないか！

読者が男性だったとしても、女性だったとしても、ある種類の人たちにとっては、ほんとうにそれは怖いことだったろう。一つの時代だけの一つの囲いの中だけの考えが、常識が、不変だと思いこんでいる人たちにとっては。『花芯』の中で、瀬戸内さんは、そのあたりのそれまで誰も触れようとしなかったわかりにくいタブーや暗黙の了解を、型破りに破るのではなく、きちんと手順をふんで破ってしまったために、ある人々の過敏な反応をよぶ存在になってしまったのではないだろうか。

だから、「マス・コミのセンセーショナリズムに対する追随がよみとれた」と平野謙は書いたが、『花芯』という小説は、むしろ世間さまのことなどほとんど眼中におかず、自分の中にあるさまざまな慟哭や葛藤を追いすぎるほどに追い、結果として完璧すぎる演技を主人公にさせてしまった、ということが、もし無理に瑕瑾《かきん》を挙げよ、といわれれば挙げるべきところなのではないかと思うのだ。

造形が、きちんとしすぎていたのである。それも、「いわゆる悪女のかたちをとりながら、型にあるような悪女とはまったく違った女」を描くための造形が。そこまできっちりと「女の特質」をそなえる必要は、あのね、ないんじゃないかなあ、と、今という時代からふりかえって、若い瀬戸内さんにこっそり耳打ちしてさしあげたくなる。そんな完璧にやったら、みんな、勘違いの怖がり方をするだけだよ、と。

でも、そんな耳打ちは、むろんまったくの余計なお世話というものだ。その時に可能な最上の完璧をめざさず、いったいものを書く人間は、何をめざすというのだ。数年後、瀬戸内さんは『夏の終り』をはじめとする一連の珠玉の短篇を発表し、これに連なる仕事としてまたしばらくの後に『蘭を焼く』というこれも素晴らしい一連の作品を世に問い、そしてまた年月を経て、近年の傑作『場所』が書かれることとなる。『夏の終り』では、瀬戸内さんの小説の中の人物はもうぜんぜん女優ではなくなっていた。かといって瀬戸内さんその人でもなかった。それはただ、生きて、どこかにきっと存在している、人だった。魅力的で、剽《ひょう》げたところもたくさんあって、そして人生を切実に生きている、人だった。それらの作品のさきがけとなり、またいしずえとなったのは、この短篇集におさめられた作品であり、それにまつわる毀誉褒貶であったのだ。

新しいものを世に問うことは、まことに素晴らしいことであると同時に、まことに危険をともなうことでもある。しかし危険を避けては、最上のものは得られない。そのことを如実に示してくれる、これは短篇集なのである。

本書に収録した「いろ」「女子大生・曲愛玲」「花芯」は、二〇〇一年一月に新潮社より刊行された『瀬戸内寂聴全集　壱』を、「ざくろ」「聖衣」は、一九七六年一月に文春文庫より刊行された『花芯』を底本といたしました。

|著者|瀬戸内寂聴　1922年、徳島県生まれ。東京女子大学卒。'57年「女子大生・曲愛玲」で新潮社同人雑誌賞、'61年『田村俊子』で田村俊子賞、'63年『夏の終り』で女流文学賞を受賞。'73年に平泉・中尊寺で得度、法名・寂聴となる（旧名・晴美）。'92年『花に問え』で谷崎潤一郎賞、'96年『白道』で芸術選奨文部大臣賞、2001年『場所』で野間文芸賞、'11年『風景』で泉鏡花文学賞を受賞。1998年『源氏物語』現代語訳を完訳。2006年、文化勲章受章。また、95歳で書き上げた長篇小説『いのち』が大きな話題になった。近著に『花のいのち』『愛することばあなたへ』『命あれば』『愛に始まり、愛に終わる　瀬戸内寂聴108の言葉』など。2021年逝去。

花芯《かしん》
瀬戸内寂聴《せとうちじゃくちょう》

2005年2月15日第1刷発行
2022年1月18日第33刷発行

発行者――鈴木章一
発行所――株式会社　講談社
東京都文京区音羽2-12-21　〒112-8001
電話　出版（03）5395-3510
販売（03）5395-5817
業務（03）5395-3615
Printed in Japan

講談社文庫
定価はカバーに
表示してあります

KODANSHA

デザイン―菊地信義
本文データ制作―講談社デジタル製作
印刷―――豊国印刷株式会社
製本―――株式会社国宝社

ISBN4-06-275008-2

講談社文庫刊行の辞

二十一世紀の到来を目睫に望みながら、われわれはいま、人類史上かつて例を見ない巨大な転換期をむかえようとしている。

世界も、日本も、激動の予兆に対する期待とおののきを内に蔵して、未知の時代に歩み入ろうとしている。このときにあたり、創業の人野間清治の「ナショナル・エデュケイター」への志を現代に甦らせようと意図して、われわれはここに古今の文芸作品はいうまでもなく、ひろく人文・社会・自然の諸科学から東西の名著を網羅する、新しい綜合文庫の発刊を決意した。

激動の転換期はまた断絶の時代である。われわれは戦後二十五年間の出版文化のありかたへの深い反省をこめて、この断絶の時代にあえて人間的な持続を求めようとする。いたずらに浮薄な商業主義のあだ花を追い求めることなく、長期にわたって良書に生命をあたえようとつとめるところにしか、今後の出版文化の真の繁栄はあり得ないと信じるからである。

同時にわれわれはこの綜合文庫の刊行を通じて、人文・社会・自然の諸科学が、結局人間の学にほかならないことを立証しようと願っている。かつて知識とは、「汝自身を知る」ことにつきていた。現代社会の瑣末な情報の氾濫のなかから、力強い知識の源泉を掘り起し、技術文明のただなかに、生きた人間の姿を復活させること。それこそわれわれの切なる希求である。

われわれは権威に盲従せず、俗流に媚びることなく、渾然一体となって日本の「草の根」をかたちづくる若く新しい世代の人々に、心をこめてこの新しい綜合文庫をおくり届けたい。それは知識の泉であるとともに感受性のふるさとであり、もっとも有機的に組織され、社会に開かれた万人のための大学をめざしている。大方の支援と協力を衷心より切望してやまない。

一九七一年七月

野間省一

講談社文庫　目録

田中芳樹　創竜伝6〈染血の夢《ブラッディ・ドリーム》〉
田中芳樹　創竜伝7〈黄土のドラゴン〉
田中芳樹　創竜伝8〈仙境のドラゴン〉
田中芳樹　創竜伝9〈妖世紀のドラゴン〉
田中芳樹　創竜伝10〈大英帝国最後の日〉
田中芳樹　創竜伝11〈銀月王伝奇〉
田中芳樹　創竜伝12〈竜王風雲録〉
田中芳樹　創竜伝13〈噴火列島〉
田中芳樹　魔　天　楼〈薬師寺涼子の怪奇事件簿〉
田中芳樹　東京ナイトメア〈薬師寺涼子の怪奇事件簿〉
田中芳樹　巴《パ》里《リ》・妖　都　変〈薬師寺涼子の怪奇事件簿〉
田中芳樹　クレオパトラの葬送〈薬師寺涼子の怪奇事件簿〉
田中芳樹　黒蜘蛛島《ブラックスパイダー・アイランド》〈薬師寺涼子の怪奇事件簿〉
田中芳樹　夜　光　曲〈薬師寺涼子の怪奇事件簿〉
田中芳樹　魔境の女王陛下〈薬師寺涼子の怪奇事件簿〉
田中芳樹　海から何かがやってくる〈薬師寺涼子の怪奇事件簿〉
田中芳樹　タイタニア1〈疾風篇〉
田中芳樹　タイタニア2〈暴風篇〉
田中芳樹　タイタニア3〈旋風篇〉

田中芳樹　タイタニア4〈烈風篇〉
田中芳樹　タイタニア5〈凄風篇〉
田中芳樹　ラインの虜囚
田中芳樹　新・水滸後伝(上)(下)
田中芳樹／幸田露伴 原作　運　命〈二人の皇帝〉
田中芳樹／土屋守　「イギリス病」のすすめ
田中芳樹ほか《ほか》文／皇名月 画・文　中国帝王図
田中芳樹／赤城毅　中欧怪奇紀行
田中芳樹 編訳　岳　飛　伝(一)〈青雲篇〉
田中芳樹 編訳　岳　飛　伝(二)〈烽火篇〉
田中芳樹 編訳　岳　飛　伝(三)〈風塵篇〉
田中芳樹 編訳　岳　飛　伝(四)〈悲曲篇〉
田中芳樹 編訳　岳　飛　伝(五)〈凱歌篇〉
高田文夫　TOKYO芸能帖〈1981年のビートたけし〉
高村　薫　李歐《りおう》
高村　薫　マークスの山(上)(下)
高村　薫　照　柿(上)(下)
多和田葉子　犬婿入り
多和田葉子　尼僧とキューピッドの弓

多和田葉子　献　灯　使
多和田葉子　地球にちりばめられて
高田崇史　QED〈百人一首の呪《しゅ》〉
高田崇史　QED〈六歌仙の暗号〉
高田崇史　QED〈ベイカー街の問題〉
高田崇史　QED〈東照宮の怨〉
高田崇史　QED〈式の密室〉
高田崇史　QED〈竹取伝説〉
高田崇史　QED〈龍馬暗殺〉
高田崇史　QED ～ventus～〈鎌倉の闇〉
高田崇史　QED〈鬼の城伝説〉
高田崇史　QED ～ventus～〈熊野の残照〉
高田崇史　QED〈神器封殺〉
高田崇史　QED ～ventus～〈御霊将門〉
高田崇史　QED ～flumen～〈九段坂の春〉
高田崇史　QED〈諏訪の神霊〉
高田崇史　QED〈出雲神伝説〉
高田崇史　QED〈伊勢の曙光《あけぼの》〉
高田崇史　QED ～flumen～〈ホームズの真実〉

講談社文庫　目録

高田崇史　毒草師〈QED Another Story〉
高田崇史　QED〈～flumen～月夜見〉
高田崇史　QED〈～ortus～白山の頻闇〉
高田崇史　試験に出るパズル〈千葉千波の事件日記〉
高田崇史　試験に敗けない密室〈千葉千波の事件日記〉
高田崇史　試験に出ないパズル〈千葉千波の事件日記〉
高田崇史　パズル自由自在〈千葉千波の事件日記〉
高田崇史　化けて出る〈千葉千波の怪奇日記〉
高田崇史　麿の酩酊事件簿〈花に舞〉
高田崇史　麿の酩酊事件簿〈月に酔〉
高田崇史　クリスマス緊急指令〈～きよしこの夜、事件は起こる！～〉
高田崇史　カンナ　飛鳥の光臨
高田崇史　カンナ　天草の神兵
高田崇史　カンナ　吉野の暗闘
高田崇史　カンナ　奥州の覇者
高田崇史　カンナ　戸隠の殺皆
高田崇史　カンナ　鎌倉の血陣
高田崇史　カンナ　天満の葬列
高田崇史　カンナ　出雲の顕在

高田崇史　カンナ　京都の霊前
高田崇史　軍神の血脈〈楠木正成秘伝〉
高田崇史　神の時空《とき》　鎌倉の地龍
高田崇史　神の時空　倭《やまと》の水霊
高田崇史　神の時空　貴船の沢鬼
高田崇史　神の時空　三輪《みわ》の山祇《やまつみ》
高田崇史　神の時空　嚴島《いつくしま》の烈風
高田崇史　神の時空　伏見稲荷の轟雷
高田崇史　神の時空　五色不動の猛火
高田崇史　神の時空　京の天命
高田崇史　神の時空　前紀〈女神の功罪〉
高田崇史　鬼棲む国、出雲〈古事記異聞〉
高田崇史　オロチの郷、奥出雲〈古事記異聞〉
高田崇史　京の怨霊、元出雲〈古事記異聞〉
団鬼六　悦楽王〈鬼プロ繁盛記〉
高野和明　13階段
高野和明　グレイヴディッガー
高野和明　K・Nの悲劇
高野和明　6時間後に君は死ぬ

大道珠貴　ショッキングピンク
高木徹　ドキュメント 戦争広告代理店〈情報操作とボスニア紛争〉
田中啓文　件《くだん》〈もの言う牛〉
高嶋哲夫　メルトダウン
高嶋哲夫　命の遺伝子
高嶋哲夫　首都感染
高野秀行　西南シルクロードは密林に消える
高野秀行　怪獣記
高野秀行　アジア未知動物紀行 ベトナム・奄美・アフガニスタン
高野秀行　イスラム飲酒紀行
高野秀行　移民の宴〈日本に移り住んだ外国人の不思議な食生活〉
高野秀行・角幡唯介　地図のない場所で眠りたい
田牧大和　花合せ〈濱次お役者双六〉
田牧大和　質草破り〈濱次お役者双六 二ます目〉
田牧大和　翔ぶ梅〈濱次お役者双六 三ます目〉
田牧大和　半可心中〈濱次お役者双六〉
田牧大和　長屋狂言〈濱次お役者双六〉
田牧大和　錠前破り、銀太
田牧大和　錠前破り、銀太　紅蜆《べにしじみ》

講談社文庫　目録

夏原エキジ　Ｃｏｃｏｏｎ５〈瑠璃の浄土〉
長岡弘樹　夏の終わりの時間割
西村京太郎　華麗なる誘拐
西村京太郎　寝台特急《メモリー・トレイン》「日本海」殺人事件
西村京太郎　十津川警部　帰郷・会津若松
西村京太郎　特急《アリバイ・トレイン》「あずさ」殺人事件
西村京太郎　十津川警部の怒り
西村京太郎　宗谷本線殺人事件
西村京太郎　奥能登に吹く殺意の風
西村京太郎　特急《スーサイド・トレイン》「北斗1号」殺人事件
西村京太郎　十津川警部　湖北の幻想
西村京太郎　九州特急「ソニックにちりん」殺人事件
西村京太郎　東京・松島殺人ルート
西村京太郎　新装版　殺しの双曲線
西村京太郎　愛の伝説・釧路湿原
西村京太郎　山形新幹線「つばさ」殺人事件
西村京太郎　新装版　名探偵に乾杯
西村京太郎　十津川警部　君は、あのSLを見たか
西村京太郎　南伊豆殺人事件

西村京太郎　十津川警部　青い国から来た殺人者
西村京太郎　十津川警部　箱根バイパスの罠
西村京太郎　新装版　天使の傷痕
西村京太郎　新装版　Ｄ機関情報
西村京太郎　十津川警部　猫と死体はタンゴ鉄道に乗って
西村京太郎　韓国新幹線を追え
西村京太郎　北リアス線の天使
西村京太郎　十津川警部　長野新幹線の奇妙な犯罪
西村京太郎　上野駅殺人事件
西村京太郎　京都駅殺人事件
西村京太郎　沖縄から愛をこめて
西村京太郎　十津川警部「幻覚」
西村京太郎　函館駅殺人事件
西村京太郎　内房線の猫たち〈異説里見八犬伝〉
西村京太郎　東京駅殺人事件
西村京太郎　長崎駅《ナガサキ・レディ》殺人事件
西村京太郎　十津川警部　愛と絶望の台湾新幹線
西村京太郎　西鹿児島駅殺人事件
西村京太郎　札幌駅殺人事件

西村京太郎　十津川警部　山手線の恋人
西村京太郎　仙台駅殺人事件
西村京太郎　七人の証人〈新装版〉
西村京太郎　十津川警部　両国駅3番ホームの怪談
仁木悦子　猫は知っていた
新田次郎　新装版　聖職の碑《いしぶみ》
日本文芸家協会編　愛染夢灯籠〈時代小説傑作選〉
日本推理作家協会編　犯人たちの部屋〈ミステリー傑作選〉
日本推理作家協会編　隠された鍵〈ミステリー傑作選〉
日本推理作家協会編　Play《プレイ》推理遊戯〈ミステリー傑作選〉
日本推理作家協会編　Doubt《ダウト》きりのない疑惑〈ミステリー傑作選〉
日本推理作家協会編　Bluff《ブラフ》騙し合いの夜〈ミステリー傑作選〉
日本推理作家協会編　Propose《プロポーズ》告白は突然に〈ミステリー傑作選〉
日本推理作家協会編　Acrobatic《アクロバティック》物語の曲芸師たち〈ミステリー傑作選〉
日本推理作家協会編　ベスト8ミステリーズ2015
日本推理作家協会編　ベスト6ミステリーズ2016
日本推理作家協会編　ベスト8ミステリーズ2017
二階堂黎人　ラン迷宮〈二階堂蘭子探偵集〉
二階堂黎人　増加博士の事件簿

講談社文庫　目録

新美敬子　猫のハローワーク
新美敬子　猫のハローワーク2
西澤保彦　新装版 七回死んだ男
西澤保彦　人格転移の殺人
西澤保彦　麦酒《ばくしゅ》の家の冒険
西澤保彦　新装版 瞬間移動死体
西村　健　ビ　ン　ゴ
西村　健　地の底のヤマ（上）（下）
西村　健　光　陰　の　刃《やいば》（上）（下）
西村　健　目　　　撃
楡　周平　陪　審　法　廷
楡　周平　宿　　　命（上）（下）〈ワンス・アポン・ア・タイム・イン・東京〉
楡　周平　血　　　戦〈ワンス・アポン・ア・タイム・イン・東京2〉
楡　周平　修　羅　の　宴（上）（下）
楡　周平　レイク・クローバー（上）（下）
楡　周平　バ　　ル　　ス
楡　周平　サリエルの命題
西尾維新　クビキリサイクル〈青色サヴァンと戯言遣い〉
西尾維新　クビシメロマンチスト〈人間失格・零崎人識〉

西尾維新　クビツリハイスクール〈戯言遣いの弟子〉
西尾維新　サイコロジカル（上）〈兎吊木垓輔の戯言殺し〉／（下）〈曳かれ者の小唄〉
西尾維新　ヒトクイマジカル〈殺戮奇術の匂宮兄妹〉
西尾維新　ネコソギラジカル（上）〈十三階段〉
西尾維新　ネコソギラジカル（中）〈赤き征裁 vs. 橙なる種〉
西尾維新　ネコソギラジカル（下）〈青色サヴァンと戯言遣い〉
西尾維新　ダブルダウン勘繰郎　トリプルプレイ助悪郎《スケアクロウ》
西尾維新　零崎双識の人間試験
西尾維新　零崎軋識《ぜろざききししき》の人間ノック
西尾維新　零崎曲識の人間人間
西尾維新　零崎人識の人間関係　匂宮出夢との関係
西尾維新　零崎人識の人間関係　無桐伊織との関係
西尾維新　零崎人識の人間関係　零崎双識との関係
西尾維新　零崎人識の人間関係　戯言遣いとの関係
西尾維新　xxxHOLiC アナザーホリック　ランドルト環《かん》エアロゾル
西尾維新　難　民　探　偵
西尾維新　少　女　不　十　分
西尾維新　本　　　題〈西尾維新対談集〉
西尾維新　掟上《おきてがみ》今日子《きょうこ》の備忘録

西尾維新　掟上今日子の推薦文
西尾維新　掟上今日子の挑戦状
西尾維新　掟上今日子の遺言書
西尾維新　掟上今日子の退職願
西尾維新　掟上今日子の婚姻届
西尾維新　新本格魔法少女りすか
西尾維新　新本格魔法少女りすか2
西尾維新　新本格魔法少女りすか3
西尾維新　人類最強の初恋
西尾維新　人類最強の純愛
西村賢太　どうで死ぬ身の一踊り
西村賢太　夢　魔　去　り　ぬ
西村賢太　藤　澤　清　造　追　影
仁木英之　まほろばの王たち
西川善文　ザ・ラストバンカー〈西川善文回顧録〉
西川　司　向日葵《ひまわり》のかっちゃん
西　加奈子　舞　　　台
貫井徳郎　新装版 修羅の終わり（上）（下）
貫井徳郎　妖　奇　切　断

月15日現在